FÓRMULAS BÍBLICAS PARA PROSPERAR

FÓRMULAS BÍBLICAS PARA PROSPERAR

Jorge H. López

Editorial Mundo Hispano

EDITORIAL MUNDO HISPANO
7000 Alabama Street, El Paso, Texas 79904, EE. UU. de A.
www.EditorialMundoHispano.org

Nuestra pasión: Comunicar el mensaje de Jesucristo y facilitar la formación de discípulos por medios impresos y electrónicos.

Editor: Jorge E. Díaz
Diseño de páginas: Gloria Williams-Méndez
Diseño de la cubierta: Suelen de Miranda

Primera edición: 2011

Clasificación Decimal Dewey: 248.490

Tema: Vida Cristiana

ISBN: 978-0-311-42127-5
EMH Núm. 42127

5 M 8 11

Impreso en Colombia
Printed in Colombia

Testimonios de la vida real

Después de haber sufrido el dolor del endeudamiento, en medio de la impotencia, la escasez y el intento de suicidio, recibí por primera vez la paz de Dios cuando conocí al Señor Jesucristo.

El ejemplo, la disciplina y las conferencias del doctor Jorge H. López, que tan apropiadamente presenta en este libro, fueron parte vital y de una total inspiración para desarrollar una vida de grandes logros. El doctor Jorge H. López se encuentra entre las personas que más han influenciado en mi estilo de vida para tener la certeza de una vida financiera victoriosa y sin deudas. ¡Ni una sola!

Creo que toda persona que lea este libro, y quiera poner en práctica sus valiosas enseñanzas, se sentirá animado y desafiado para levantarse y vencer cualquier crisis financiera.

—Pastor Esteban Chaves

Cuando el Pastor Jorge predicó sobre las *Fórmulas bíblicas para prosperar* yo estaba pasando por una situación muy difícil en mi casa; sin embargo, no faltaba a la iglesia, pues me fortalecía mucho.

Pero detrás de esa situación difícil estaba otra situación económica de crisis.

Yo iba a una "casa de empeño" para empeñar mis joyas y otros artículos de valor para poder dar de comer a mis cinco hijos y a mi suegra. Sin poder hacer otra cosa me encontré con deudas que requería que pagara hasta un 20 por ciento de intereses.

Un día, Dios usó al pastor Jorge y nos enseñó cómo salir de deudas y cómo no meterse más en ellas. Le creí a nuestro Señor y, además, hice lo que nos dijo: "Escriban en su agenda diaria todo lo que deben y empiecen a pagar de la más pequeña a la más grande y paguen una por una y Dios los ayudará". Y así fue, tomé mi agenda y escribí todas las deudas, y en un año yo había pagado más de 400.000.00 quetzales. A partir de entonces me di cuenta de que Dios es fiel y también le prometí al Señor que yo no pondría un pie más en una casa de empeño.

He pasado situaciones apretadas y críticas pero no he ido a pedir prestado a nadie ni a empeñar mis objetos personales. Ahora luzco mis joyas y Dios me saca de cualquier situación. No dejo de escribir cada año en mi agenda lo agradecida que estoy con Dios y con la enseñanza del pastor Jorge H. López.

Dios bendiga al Pastor y su libro que sé desde ya será de gran bendición.

—*Martha Marchena*

Asisto a la Fraternidad desde febrero de 1990, por lo que las enseñanzas del pastor me han servido para crecer en el área espiritual, en el área profesional y, por supuesto, en el área financiera. Yo no sabía lo que era diezmar y ahorrar, hasta que escuché lo que enseña la Biblia. Por medio del principio 10-10-80 he podido organizarme de tal manera que cumplo con el mandato de diezmar, cumplo con ahorrar y cumplo con proveer en mi casa de todo lo necesario. Gracias a mi buen Dios nunca nos ha hecho falta nada; al contrario, él siempre nos ha provisto abundantemente. He aprendido que el Señor nunca me dejará y que aunque haya situaciones complicadas y difíciles él es mi proveedor y mi sustento. También le doy gracias a Dios porque puso en mi camino al pastor Jorge y sus enseñanzas, y porque me dio la sabiduría necesaria para ponerlas en práctica.

—*Fredy R. Meléndez M.*

Recuerdo cuando llegué a la Fraternidad, mi condición económica era un completo desastre: deudas en tarjetas de crédito, deudas con bancos. Cada centavo que recibía era para pagar deudas y es que nunca nadie me había enseñado a ser un buen administrador del dinero. Vivía sin esperanzas de superación en esa área de mi vida.

Con el tiempo fui aprendiendo los principios fundamentales de la prosperidad a través de las enseñanzas del pastor Jorge H. López: Dar a Dios el 10 por ciento de todos mis ingresos, ahorrar al menos 10 por ciento de todo lo que recibo, ser generoso ante la necesidad de los demás y ser un buen administrador del dinero, no endeudándome, sino pagando todo de contado.

Confieso que, aunque tenía muchos años de escuchar esas enseñanzas, fue hasta que comencé a ponerlas en práctica que Dios trajo bendición a mi casa y a mis negocios. Algo importante fue reconocer que si seguía manejando el dinero de la forma que lo hacía nada iba a cambiar sino, al contrario, las cosas cada día se iban a poner peor. Fue así como tomé la decisión de comenzar a vivir conforme a estos principios, y habiendo puesto mi fe en Dios y en sus promesas, buscando primero hacer su voluntad y buscándole primero a él antes que al dinero, me llevó a tener empresas solventes, ahorros e inversiones. Ahora estoy empeñado a que mi hijo aprenda estos principios desde su niñez para que le vaya bien en la vida y que, mas allá de lo que yo pueda heredarle, él conozca las formulas bíblicas para prosperar en su vida.

—Luis Marroquín

Contenido

Introducción

El porqué de *Fórmulas bíblicas para prosperar*: He aprendido a vivir en la escasez y también en la abundancia. Mi niñez estuvo rodeada de limitaciones y pobreza. Sin embargo, la influencia de Alicia, mi abnegada y muy trabajadora madre, me inspiró a buscar la superación personal a través de la formación escolar, la disciplina espiritual y el trabajo constante. Mi abuela paterna, Gerónima, más bien conocida como la abuela Choma, marcó mi ser al enseñarme el amor y la obediencia a la Biblia.

Abrí mi primera cuenta de ahorros en el banco a los 10 años de edad y comencé así el camino que me sacó de la pobreza. Al pasar los años comprendí que la iglesia en Latinoamérica tenía que dejar de ser dependiente del paternalismo extranjero y me propuse demostrarlo al establecer la Fraternidad Cristiana de Guatemala con la seguridad de que sería autofinanciable y llegaría a ser un modelo para Latinoamérica. Para alcanzar el sueño enseñé a los miembros de "Fráter" las fórmulas bíblicas que me hicieron prosperar y vivir un estilo de vida al contado. Hoy, 32 años después, me preguntan por todas partes como pudimos construir el proyecto "Mega Fráter", un complejo de 10 edificios de 113.000 metros cuadrados bajo techo, con un auditorio que sienta en lujosas butacas de teatro a más de 12.200 personas, tiene 6 edificios educativos que acomodan más de 3.000 alumnos, y hay estacionamiento para más de 2.531 automóviles. El auditorio es considerado uno de los más grandes y bellos del mundo y sirve como un testimonio vivo del poder de Dios porque se hizo al estricto contado, con fondos propios en un país en vías de desarrollo. Esto y mucho más ha sido posible gracias a Dios y a miles de personas de fe que oyeron la serie de enseñanzas que he impartido y las pusieron en práctica. Estas enseñanzas ahora podrán ser leídas y aplicadas por miles más, gracias a la publicación de este libro. Usted también puede ser una persona que prospera y puede convertirse en otra razón por la cual comparto estos principios que gobiernan la abundancia en el planeta Tierra.

—Doctor Jorge H. López

Capítulo 1

Buscar a Dios primero

"El aguinaldo no alcanza" era el titular principal de los periódicos del país en la época cercana a las festividades de fin de año. Tal pareciera que cada año la historia es la misma: no alcanza el dinero para enfrentar los gastos que en esta época aumentan considerablemente. Y eso sin tomar en cuenta que en muchos países latinoamericanos se recibe un sobresueldo específico ordenado por las leyes laborales. Después de haber estado más de medio siglo en este planeta he escuchado comentarios similares repetidamente a través de los años. Desde niño he oído la queja de que no alcanza el dinero ni el tiempo, que la situación está difícil, que la cosa está complicada, y quejas similares.

Los comentarios son iguales, tanto en la época de fin de año, como en toda ocasión. Por eso creo en la importancia de comprender lo que podemos llamar las "Fórmulas bíblicas para prosperar".

Siempre que se acerca el fin de cada año acostumbramos

decir a los demás: "Feliz Navidad y Próspero Año Nuevo". Lamentablemente los que nos desean próspero año nuevo no nos dicen cómo prosperar. Por otra parte, vemos a personas que prosperan en circunstancias adversas, en medio de dificultades y contrariedades, sujetos a gobiernos bajo los cuales a todos nos toca vivir.

Lo que ocurre es que algunas personas tienen el conocimiento de las fórmulas bíblicas para prosperar, mientras que otras las ignoran. Las Sagradas Escrituras nos dicen claramente que Dios desea que prosperemos en todo. En la tercera epístola de Juan 2, uno de mis versículos bíblicos favoritos que me gusta regalar a todos dice: *Amado, mi oración es que seas prosperado en todas las cosas y que tengas salud, así como prospera tu alma.* La NVI dice: *Querido hermano, oro para que te vaya bien en todos tus asuntos y goces de buena salud, así como prosperas espiritualmente.*

La voluntad de Dios es prosperarnos en todas las cosas, pero recordemos que todas las promesas están condicionadas. Si nosotros llenamos esas condiciones, Dios cumple las promesas. En esta época, más que en ninguna otra, necesitamos conocer las promesas de Dios, abandonadas por tradiciones humanas que nos llevan a la destrucción. Oseas 4:6 dice: *Mi pueblo es destruido porque carece de conocimiento.* Hay muchos que sufren la destrucción y es porque no conocen los principios bíblicos que gobiernan la abundancia sobre la tierra. También en Oseas, capítulo 6:6 leemos claramente lo que el Señor pide de nosotros: *Porque misericordia quiero yo, y no sacrificios; y conocimiento de Dios, más que holocaustos.* Requiere de nosotros amor y conocimiento de su existencia. Si algo es importante en la vida para que nuestras relaciones interpersonales sean exitosas es que nos conozcamos bien. Cuando conocemos bien a las personas con las que convivimos —ya sean nuestros padres, hijos, cónyuges, parientes cercanos, amigos, socios y compañeros de trabajo— nuestras relaciones interpersonales funcionarán mejor.

Sabremos quién es confiable, quién es responsable, quién es discreto. Es necesario que usted sepa con quiénes está tratando; que conozca a las personas. La limitación de la gran mayoría de los cristianos es que no conoce a Dios. Es necesario que desarrollemos el conocimiento de Dios de tal manera que podamos confiadamente hablarle, pedirle, servirle, buscarle, encontrar lo que él quiere para nosotros.

Josué 1 relata la transición del mando de Moisés a Josué. Por cuarenta años Moisés ha gobernado a Israel en el desierto. Ha peleado contra los enemigos de Israel. Ha intercedido delante de Dios por su pueblo. Sin embargo, él muere y el mando cae sobre Josué. No fue una elección democrática, fue una selección teocrática y Moisés supo que era Josué la persona que iba a sucederle. De pronto, Josué se encuentra al frente de Israel, y en medio de ese gran desafío recibió este consejo de parte de Dios: *Nunca se aparte de tu boca este libro de la Ley; más bien, medita en él de día y de noche, para que guardes y cumplas todo lo que está escrito en él. Así tendrás éxito y todo te saldrá bien* (Josué 1:8).

La Biblia NVI dice: *Recita siempre el libro de la ley y medita en él de día y de noche.* ¿Puede usted recitar el libro de la ley? ¿Cuántos versículos bíblicos conoce de memoria? ¿Cuántos pasajes bíblicos ha aprendido? Si usted se encontrara en una situación en la que no tiene una Biblia a la mano, quizá en el área de cuidados intensivos del hospital, tal vez perdido en la montaña, quizás secuestrado y enclaustrado en una cueva, ¿cuántos pasajes de la Biblia podría recitar de memoria?

Más importante es que tengamos como práctica el recitar el libro de la ley de Dios y meditar en él de día y de noche. El problema actual es que en lugar de tener en mente la Palabra de Dios todo el día, la mantenemos ocupada con las noticias económicas que vienen de *Wall Street* o estamos entretenidos con los reportajes que publican los medios de comunicación o estamos repitiendo y recitando la misma cantaleta día tras día... que el gobierno no trabaja para el bien del país, que la situación económica está difícil, que el mundo está viviendo un caos terrible, que los Estados Unidos de América está en recesión, que yo ya me estoy muriendo, y cosas semejantes.

Usted está viviendo la mejor época de su vida, pero ha empezado a recitar tanto lo que ha oído, que lo empieza a creer. Partiendo del principio de lo que usted dice recibe, lo que usted habla se hace realidad. Hay poder en lo que decimos. Es importante que nosotros sigamos el consejo bíblico, que aprendamos la Palabra del Señor y que empecemos a compartirla. En lugar de sentirse atemorizado porque aún anda por ahí algún terrorista, usted debe confiar porque *el que habita al abrigo del Altísimo morará bajo la sombra del Todopoderoso* (Salmo 91:1). Cuando alguna noche no pueda dormir porque tiene insomnio, recite la Palabra del Señor. No se deje influenciar por lo que ve o escucha de este mundo.

No se me olvida el caso de un niñito cuyos padres lo trajeron a mi oficina. Los padres del niño, que tenía cinco o seis años, no sabían qué hacer con él porque tenía miedo. Se sobresaltaba, no dormía, vivía asustado y solo quería dormir al lado de sus padres.

Para comenzar, le pregunté:

—Hijo, ¿cuándo empezaste a sentir miedo?

—¡Ah! —me contestó—, fue un día cuando mis padres llevaron una película de miedo a la casa.

Claro, pusieron la película, el niño la vio y ¿qué recibió? Miedo. La película de miedo, causa miedo; una película de risa, produce risa. Hay que evitar ver películas que enfatizan el adulterio, los secuestros, asaltos, robos, y las infidelidades.

Usted ve y oye tanto que se puede animar a hacer lo mismo. Lo que nosotros vemos y oímos lo grabamos en nuestra mente. Lo que nosotros vemos, eso es lo que a nosotros nos aflige.

Finalmente oré por el niño, pero sobre todo le aconsejé que no viera más películas de miedo. Le recomendé a los padres que vieran películas más sanas y edificantes para los niños.

Alrededor de 1972 salió la película "El Exorcista". Todos salieron de la sala de cine con miedo. Da miedo ver esa clase de películas, pues dejan traumatizados a los espectadores. Entonces, si no quiere sentirse así, ¿para qué ver dichas películas?

A Josué le dijo el Señor: *Recita siempre el libro de la ley*. Cuando usted empieza a sentirse temeroso, recite la Palabra del Señor, *Porque no nos ha dado Dios un espíritu de cobardía [temor] sino de poder, de amor y de dominio propio* (2 Timoteo 1:7). *El Señor es mi luz y mi salvación; ¿de quién temeré?* (Salmo 27:1). Poco después, usted comenzará a sentirse como un gigante y el tamaño de sus circunstancias se verá más pequeño. Usted se verá grande y el diablo aplastado. La Palabra de Dios dice: *Sobre el león y la cobra pisarás; hollarás al leoncillo y a la serpiente* (Salmo 91:13). Entonces usted comienza a cobrar ánimo y confianza. Por eso el consejo para Josué es claro: desde el gobernante de una nación, hasta el gobernado más insignificante debe recitar la Palabra de Dios, conocerla a fondo y *meditar en ella de día y de noche*. En lugar de estar preocupado porque no tiene trabajo o porque se va a quedar en la calle, recuerde las promesas del Señor: *Así prosperarás y tendrás éxito*. Déjeme darle el primer elemento clave para esta fórmula bíblica para prosperar.

Buscar a Dios en primer lugar

En Mateo 6:33 Jesús estableció la prioridad correcta para nuestra vida. *Más bien, busquen primeramente el reino de Dios y su justicia, y todas estas cosas les serán añadidas*. ¿Cuáles cosas? Veamos entonces los versículos 31 y 32: "*Por tanto, no se afanen diciendo: '¿Qué comeremos?' o '¿Qué beberemos?' o '¿Con qué nos cubriremos?'. Porque los gentiles buscan todas estas cosas, pero su Padre que está en los cielos sabe que tienen necesidad de todas estas cosas*". ¿Qué es lo primero que a usted le preocupa cuando despierta por la mañana? ¿La comida, el desayuno? En cuanto usted se despierta piensa en un *omelet* de huevos, piensa en su pan con frijoles, en la leche de sus hijos. Piensa en el pan cotidiano. Y cuando una persona se queda sin empleo o tiene dificultades en su negocio, inmediatamente piensa: ¿qué le voy a dar de comer a mis hijos?

Yo tengo tres hijos varones, ya son adultos, pero comen más ahora que cuando eran niños. Los niños tienen que ser alimentados y nosotros, como padres, tenemos que ocuparnos de darles de comer y de vestirlos. Y hoy día, con el condicionamiento social consumista-materialista que han sufrido nuestros hijos desde chicos a través de todos los medios, no quieren solamente un par de zapatos, quieren unos *Nike*. No quieren solo una camisa, debe ser de la marca *Tommy Hilfiger*. Resulta que sale más barato dar de comer a algunos niños que vestirlos; en otros casos, vestirlos que darles de comer. La preocupación es normal. Nuestro anhelo es poder dar de comer y vestir a la familia.

Otra preocupación que muchas noches nos quita el sueño es si nos alcanzará o no el dinero para pagar el alquiler. Cuando no lo tenemos, existe el riesgo de que nos desalojen y quedar, de pronto, en la calle. Esta es una preocupación muy humana. He conocido a personas que compran casa y, después de pagar mensualmente la cuota correspondiente por varios años, la pierden porque se atrasaron en algunos pagos y el banco tomó posesión de ella y la familia se quedó sin casa.

La preocupación de todo ser humano es la misma: comida, vestuario, vivienda. Pero Jesús nos dice que *nuestro Padre celestial sabe que tenemos necesidad de todas estas cosas,* y nos dice cuál es el elemento clave. En lugar de preocuparnos, él nos dice que: *más bien busquen primeramente el reino de Dios y su justicia y todas estas cosas les serán añadidas.*

Lo que tenemos que hacer para prosperar en esta vida es buscar primero a Dios ¿Qué es lo que normalmente hacemos cuando tenemos una necesidad material? Buscar al pariente rico. Pero el pariente rico nos puede decir: "Fíjate que lo siento mucho, pero hoy no tengo con qué ayudarte". Buscamos al amigo rico, pero no nos puede atender porque está muy ocupado. Y así seguimos buscando por todos lados. Cuando ya no hay ningún amigo o familiar que nos pueda ayudar, entonces nos acordamos que existe Dios. Buscamos a Dios como último recurso.

Un día usted empieza con un dolorcito, un malestar. En lugar de buscar a Dios en ese momento y pedirle sanidad, ayunar y pedir a otros que oren por usted, lo primero que hacemos es buscar al médico. No está mal, pero se pasa buscando a un médico, a otro y a otro. Le practican una, otra y cinco cirugías y finalmente le dicen que no hay nada que hacer y que usted está desahuciado. Recién ahora usted se acuerda de que existe Dios y es entonces cuando lo busca. Y el Señor, en su infinita misericordia, lo sana. ¿Por qué no lo buscó a él en primer lugar? A lo mejor se hubiera evitado muchos problemas y habría evitado muchas dificultades. Pero se nos olvida buscar a Dios primero. Hay un dicho popular que dice "primero Dios". Pongámoslo en práctica.

Sí, es a Dios a quien debemos buscar primero. Antes de cualquier otra cosa busquemos a Dios primero. Busquemos cumplir primero las leyes del reino de Dios, obedecer al rey Jesús, que es el rey del reino de Dios.

Salmo 34:10 dice: *Los leones tienen necesidades y sufren hambre, pero los que buscan al SEÑOR no tendrán falta de ningún bien.* ¿Qué quiere decir que nada les falta? ¡Qué nada les falta! No les faltan zapatos, no les faltan blusas, no les faltan vestidos, no les falta transporte, no les falta para el alquiler, no les falta salud, no les falta paz. ¡A los que buscan al Señor no les falta nada!

Nosotros tenemos que aprender a buscar primero a Dios. Si hacemos eso vamos a tener éxito y prosperidad en la vida. Lamentablemente buscamos primero nuestros negocios, nuestros compromisos estudiantiles, nuestros compromisos deportivos, nuestros compromisos sociales, y por último —si hay tiempo o tenemos la oportunidad— entonces buscamos a Dios. El orden correcto es buscar *primero* a Dios.

Si buscamos a Dios primero, y si lo encontramos y nos da un consejo, más vale que lo sigamos.

Creer y obedecer su palabra

Leemos en Deuteronomio 29:9: *Guarden, pues, las palabras de este pacto y pónganlas por obra, para que prosperen en todo lo que hagan.* ¿Qué es lo que hace usted para ganarse la vida? ¿Se relaciona su trabajo con las finanzas, la construcción, la salud? No importa en qué campo de la sociedad usted se desempeñe, no importa su oficio, su vocación o profesión, usted va a prosperar en lo que hace, pero primero usted debe tener mucho cuidado de cumplir las condiciones del pacto para prosperar. Porque si usted no cumple las condiciones del pacto, si usted no sigue las condiciones del Señor, no va a prosperar por mucho que se afane, por más que se esfuerce. Todo lo que tiene que hacer es buscar a Dios y, una vez que lo encuentre, créale y obedézcale.

En mi calidad de pastor de la iglesia, algunas veces los jóvenes o las señoritas se me acercan para pedirme consejo sobre su futuro matrimonio. Recuerdo a una jovencita que me dijo:

—Pastor, me quiero casar con fulano de tal.

—¿Por qué te quieres casar con ese inútil? —le pregunté.

—Porque lo quiero— fue su respuesta.

—Pero ¿para qué te vas a casar con ese inútil? —le volví a insistir.

—Es que lo quiero —ratificó ella.

—¿Qué dicen tus papás? —pregunté entonces con un tono de curiosidad.

—Que no me case— me contestó.

—¿Por qué te vas a casar?

—Es que lo quiero —me contestó con aplomo.

—No te conviene— le volví a decir.

Finalmente, nos juntamos los tres. Enfrente del muchacho, un joven muy sonriente y amable, le dije a la jovencita:

—No te cases con este inútil.

Él me quedó viendo muy satisfecho, porque había encontrado a una persona que le decía la verdad en su cara.

—Él no sirve para nada, ¿por qué te vas a casar con él? —le volví a decir a la muchacha.

La joven creyó que estaba bromeando y no tomó en serio mi consejo. ¿Para qué pidió mi consejo en dos o tres ocasiones, si de todas maneras hizo lo que quiso? Se casó. A los dos años, aproximadamente, me estaba pidiendo una cita para decirme:

—Pastor, pasó tal y como me lo dijo: El fulano es un inútil, borracho y agresivo. Me divorcié.

Entonces, ¿para qué piden consejo si no creen ni obedecen lo que uno les dice? A todos nos pasa así. Cuando nos acercamos a Dios, nos encontramos con él, le pedimos consejo y él nos lo da, pero ¿qué hacemos? Le decimos: "No, Señor. No es así como yo lo quiero".

Estamos peleando como marido y mujer; buscamos a Dios y el Señor nos habla y nos dice:

—Como hombre tú eres la cabeza del hogar. Por lo tanto, tú tienes que ser responsable y sobrio; tienes que ser amoroso con ella.

—No, Señor —contestamos— lo único que ella entiende son golpes.

Dios nos habla claramente, nos dice qué tenemos que hacer. Pero nosotros nos resistimos.

Viene la mujer y busca al Señor y se encuentra con él. Le dice:

—Señor, es que ya no soporto a mi marido.

—Él es la cabeza de tu hogar. Tú tienes que someterte a él, tienes que respetarlo —dice Dios.

—No, Señor, ya no quiero seguir con él.

—Tienes que perdonarlo.

—No, Señor, no quiero ni verlo.

Entonces ¿para que buscamos al Señor si cuando nos encontramos con él y nos dice lo que tenemos que hacer, no lo hacemos? ¿De qué sirve ser oidores de la Palabra de Dios, si no vamos a ser hacedores? Llegamos a ser oidores olvidadizos.

Usted viene a la iglesia, oye la Palabra del Señor y el Señor le habla. Usted dice: "¡Qué buen mensaje!", pero cuando sale del templo, lo olvida todo. Usted oye que tiene que ser amable con los demás, tiene que ser cortés, tiene que ser generoso para dar, tiene que ser atento con otros, sobre todo cuando conduce su vehículo. Pero llega el martes y usted ya está renegando y sonando el claxon para que los otros conductores se quiten de su camino. Hacemos eso porque se nos olvida lo que el Señor nos dijo. Tenemos que aprender que si el Señor nos habla debemos obedecer.

También dicen las Sagradas Escrituras que si nosotros estamos delante de Dios y estamos buscando su presencia, tenemos que estar dispuestos a hacer su voluntad. Si no estamos dispuestos a hacer su voluntad de nada nos sirve conocerlo.

¿Estamos dispuestos a obedecer la Palabra de Dios? Porque si no lo estamos, ¿para qué lo buscamos? Pero si lo estamos buscando y nos habla, tenemos que obedecer toda su palabra tal como leímos en Josué 1:8: *Nunca se aparte de tu boca este libro de la Ley; más bien, medita en él de día y de noche, para que guardes y cumplas todo lo que está escrito en él. Así tendrás éxito y todo te saldrá bien.*

Capítulo 2

Creer a Dios y obedecerlo

Es muy natural que todos tengamos el deseo de prosperar, pero en la práctica hay diferencias. ¿Por qué, en el transcurso de un año, hay personas que prosperan y otras que solamente tuvieron el ferviente deseo de hacerlo? Ese es el dilema que enfrenta la gran mayoría de personas, ya que no solo basta con desearlo. ¿Qué le contestaría usted a una persona que le pregunta: "¿Cómo puedo prosperar? ¿Cómo hago para lograrlo?".

En este libro de *Fórmulas bíblicas para prosperar* vamos a descubrir todo lo que la Biblia enseña acerca de la prosperidad. En Oseas 4:6 leemos: *Mi pueblo es destruido porque carece de conocimiento.* Esa es la verdad. Muchos de nosotros somos destruidos porque no conocemos nuestros derechos ni nuestras oportunidades. No conocemos lo que Dios ha hecho a favor de nuestra vida. Por falta de conocimiento sufrimos la destrucción. En el capítulo 6:3 dice: *Conozcamos y persistamos en conocer al SEÑOR. Segura como el alba será su salida; vendrá a nosotros como la lluvia; como la lluvia tardía, regará la tierra.* En el versículo 6 dice: *Porque misericordia quiero yo, y no sacrificios; y conocimiento de Dios, más que holocaustos.*

La pregunta es: ¿Conocemos a Dios? ¿Sabemos cómo piensa Dios? ¿Sabemos lo que Dios quiere de nosotros? El conocimiento de Dios es claro. Jesús dijo: *Conocerán la verdad, y la verdad les hará libres* (Juan 8:32). Pero todo empieza por el conocimiento que tengamos de él, porque esa es la clave. Ahora surge otra pregunta, ¿Cómo podemos conocerlo?

La mejor manera que tenemos para conocer a Dios nuestro Señor se encuentra en su Santa Palabra. Por eso es necesario que aprendamos de hombres y mujeres de la Biblia. Como ellos prosperaron, nosotros también podemos prosperar de acuerdo con la promesa.

En el libro de Josué se inicia una nueva etapa para Israel y para un nuevo estadista, un nuevo líder. Moisés sacó a Israel de Egipto, pero antes anduvo cuarenta años en el desierto. Durante esos años en el desierto conoció a Dios. Moisés vivió 120 años. Los primeros cuarenta años los pasó en Egipto, pensando que lo sabía todo. Los siguientes cuarenta años anduvo en el desierto, dándose cuenta de que no sabía nada. Y los últimos cuarenta años estuvo con el pueblo de Israel, dándose cuenta de que el que lo sabe todo es Dios. Aprendió que quien todo lo puede es Dios. Cuando uno llega a conocer a Dios de esta manera se da cuenta de que lo que para uno es difícil, lo que para uno es imposible, para Dios es posible.

Moisés trató de liberar a Israel por sus propias fuerzas y lo que consiguió fue un exilio de 40 años. Luego se encontró con Dios y conoció a Dios. Logró hacer los milagros para liberar a Israel, pero llegó el momento en que el liderazgo debía ser trasladado a Josué.

Josué recibió una gran responsabilidad: dirigir a varios miles de personas y llevarlas desde el desierto, donde habían vivido durante 40 años, a la tierra prometida donde fluía leche y miel, donde iba a cambiar su estilo de vida, donde iban a luchar contra los habitantes del lugar para tomar posesión de la promesa.

¿Cuál fue el consejo que recibió para tener éxito? Josué 1:8 dice: *Nunca se aparte de tu boca este libro de la Ley; más bien, medita en él de día y de noche, para que guardes y cumplas todo lo que está escrito en él. Así tendrás éxito y todo te saldrá bien.* ¿Cuál es el consejo que le da el Señor? *Recita el libro de esta ley* (NVI). ¿Qué palabras recitaría usted si lo invitaran a declamar algo de un libro de Amado Nervo o de Rubén Darío? Y si usted se encuentra en medio de una situación crítica y no tiene una Biblia a la mano ¿qué recitaría usted entonces?

¿Se sabe de memoria el Salmo 23, el Salmo 91, el Salmo 121? Vale la pena que nosotros meditemos en la Palabra de Dios, que hagamos uso de ella, que la conozcamos; porque si no, cuando estemos pasando por enfermedades o en apreturas económicas, vamos a sufrir mucho más. Muchos de nosotros guardamos en nuestra mente solamente lo que vemos en la televisión, lo que oímos en la radio o leemos en los periódicos, pero ahí solamente nos dan pensamientos humanos, muchas veces negativos y pesimistas. Y ¿cómo no va a ser pesimista si todo lo que nos cuentan es del Medio Oriente donde hay guerras, luchas fratricidas y atentados terroristas? Nos cuentan de los no muy gratos acontecimientos que hoy están pasando en Belén, donde un día se oyó el canto de "gloria a Dios en las alturas".

Ante toda esta telaraña usted empieza a ver la vida llena de cuadritos y a tener pensamientos negativos. Además, los sociólogos y políticos nos hablan de la situación mundial y de nuestro país, pero no hacen nada. ¿Se da cuenta? No hacen nada porque están esperando que pasen las elecciones donde se elegirá al nuevo presidente del país. Y si estas acaban de pasar, no hacen nada porque están esperando conocer qué hace el gobierno durante el primer año de su gestión administrativa y después del tercer año, como ya está preparando el proceso para entregar el cargo, tampoco se hace nada. Así pasan los años y nunca se hace nada. Esa no es la vía para prosperar.

La persona que tiene su confianza en Dios actúa en cualquier momento y prospera. Dios la bendice. Dios la prospera, la hace tener éxito a pesar de las circunstancias.

Por eso es necesario que estemos preparados. Es cierto que estamos preocupados por cómo vestiremos a nuestros hijos; especialmente los que están en constante crecimiento. Nos preocupa que estén bien vestidos, y en ciertas épocas importantes, queremos que estrenen ropa bonita, zapatos y equipos electrónicos. Nos preocupa que nuestra familia vista bien, nos preocupa que coma bien. Nos preocupa la vivienda, el pago mensual del alquiler o la hipoteca y otros compromisos financieros que se adquieren.

Primero lo primero

Por supuesto que nos preocupamos por todas las cosas materiales, pero ¿qué dice la Biblia? Para que nosotros podamos prosperar debemos poner las cosas en su debido orden. Jesús, en Mateo 6:31-33, nos indicó el orden que debemos dar a nuestra vida, las prioridades que deben ser las correctas: *"Por tanto, no se afanen diciendo: '¿Qué comeremos?' o '¿Qué beberemos?' o '¿Con qué nos cubriremos?'. Porque los gentiles buscan todas estas cosas, pero su Padre que está en los cielos sabe que tienen necesidad de todas estas cosas. Más bien, busquen primeramente el reino de Dios y su justicia, y todas estas cosas les serán añadidas".*

El Señor nos ayuda en todo lo que nos hace falta, pero tenemos que establecer el orden de prioridades con claridad. Nuestra prioridad debe ser *buscar primeramente el reino de Dios y su justicia.* Todo reino tiene un rey, todo reino tiene decretos, todo reino tiene mandamientos, y en todo reino usted tiene que obedecer. Dondequiera que usted viva tiene que cumplir las leyes del país, pagar los impuestos y recibir los beneficios correspondientes que esa nación le ofrece. Todos, sin importar la nacionalidad de la que procedemos, si somos creyentes en Cristo, somos parte del reino de Dios y tenemos que seguir estos consejos y aplicarlos para recibir las bendiciones.

• Consejo número uno

Buscar primeramente el reino de Dios y su justicia.

¿Qué se hace cuando se tiene una necesidad? Por ejemplo, cuando tiene necesidad de salud, por lo general se busca al doctor, el hospital, el sanatorio, a la abuelita para que nos dé aquellas medicinas del pueblo donde ella creció. Después que ya le dieron todo tipo de medicinas alternativas, medicinas recetadas, fue sometido a cirugías y lo tienen desahuciado, entonces viene y pide a los hermanos que oren por usted. Muchas personas buscan a Dios como último recurso.

¿A quién debemos buscar primeramente en nuestras necesidades?, a Dios. Lo primero que necesita es que Dios lo ayude en su empleo, con su familia, en su negocio; busque primero a Dios. Eso es importante. Lea el Salmo 34:10: *Los leones tienen necesidades y sufren hambre, pero los que buscan al SEÑOR no tendrán falta de ningún bien.* Los que buscan al Señor nada les falta. Lo vemos en el Salmo 23: *El SEÑOR es mi pastor; nada me faltará.*

Si yo busco primero a Dios, él suplirá lo que a mí me hace falta. Eso que usted hace cuando llega a la casa del Señor para escuchar la Palabra del Señor, y buscar primero al Señor es obedecer algo cotidiano. Cada mañana cuando usted se despierta, dele gracias a Dios, gracias porque le ha dado la bendición de quitarle el frío con esa amada pareja. Cuando vea a su hijo dormido, dele gracias a Dios porque va para su trabajo. Usted tiene que empezar cada día alabando al Señor, poniendo primero el reino de Dios.

Lo que usted debe hacer para ser prosperado, es buscar primero a Dios. Eso es clave, Dios es el alfa y la omega, el principio y el fin. Desde el principio hasta el fin tenemos que estar todo el tiempo con Dios.

• Consejo número dos

Parte de la fórmula bíblica para prosperar se encuentra en Deuteronomio 29:9: *Guarden, pues, las palabras de este pacto y pónganlas por obra, para que prosperen en todo lo que hagan.* La prosperidad de Dios es condicional, usted no va a prosperar simplemente porque es hijo de Dios o porque es cristiano. Usted prosperará solo si guarda y obedece cada uno de los mandamientos del Señor. Si usted no lo hace, no prosperará. Santiago 1:22 dice: *Pero sean hacedores de la palabra, y no solamente oidores engañándose a ustedes mismos.*

A través de los años hemos escuchado mucho de la Palabra y quizás usted no solamente la ha escuchado en su congregación, sino en otros lugares, pero no basta con oír la Palabra del Señor, hay que obedecerla, hay que cumplirla. El capítulo 9 de Marcos narra algo muy interesante. Dice:

> *Cuando llegaron [Pedro, Jacobo y Juan] a los discípulos, vieron una gran multitud alrededor de ellos, y a unos escribas que disputaban con ellos. En seguida, cuando toda la gente vio a Jesús se sorprendió, y corriendo hacia él le saludaron. Estaban ahí hablando sobre distintos aspectos de la enseñanza, y apareció un muchacho que estaba poseído.*
> *Uno de la multitud dijo:*
> *—Maestro, traje a ti mi hijo porque tiene un espíritu mudo, y dondequiera que se apodera de él, lo derriba. Echa espumarajos y cruje los dientes, y se va desgastando. Les dije a tus discípulos que lo echaran fuera pero no pudieron.*
> *Respondiendo Jesús les dijo:*
> *— ¡Oh generación incrédula! ¿Hasta cuándo estaré con ustedes? ¿Hasta cuándo les soportaré? ¡Tráiganmelo!*
> *Se lo trajeron; y cuando el espíritu le vio, de inmediato sacudió al muchacho, quien cayó en tierra y se revolcaba echando espumarajos.*

Jesús le preguntó a su padre:

—¿Cuánto tiempo hace que le sucede esto?

Él dijo:

—Desde niño. Muchas veces le echa en el fuego o en el agua para matarlo; pero si puedes hacer algo, ¡ten misericordia de nosotros y ayúdanos!

Jesús le dijo:

—"¿Si puedes...?". ¡Al que cree todo le es posible!

(Marcos 9:14-23).

La experiencia de este hombre que vio batallar a los discípulos y que no tuvieron éxito, fue la base para su incredulidad. *Si puedes hacer algo, ¡ten misericordia de nosotros y ayúdanos! ¿Si puedes...?* respondió Jesús, *¡Al que cree todo le es posible!*

Jesús nos puede librar de un demonio, puede sanarnos de una enfermedad, puede proveernos de un trabajo, puede suplir lo que nos falta, puede transformar a un hijo haragán en un hijo diligente, puede transformar a un esposo irresponsable en un hombre responsable, puede transformar a una esposa y hacerla mejor. Puede transformar a una mujer celosa en una mujer confiada, segura. Todo lo puede hacer el Señor, pero dice Jesús: *¡Al que cree todo le es posible!*

Para que podamos tener éxito según nuestra fórmula bíblica para prosperar es necesario buscar primero a Dios. Segundo, creer a Dios y guardar sus mandamientos. *Dios no es hombre para que mienta, ni hijo de hombre para que se arrepienta* (Números 23:19). Las promesas de Dios se cumplen, pero debemos estar dispuestos, primero a creer y a obedecer su Palabra.

Honrar a Dios

Debemos honrar a Dios con nuestros diezmos

Primera de Corintios 16:1, 2 dice: *En cuanto a la ofrenda para los santos, hagan ustedes también de la misma manera que les ordené a las iglesias de Galacia. El primer día de la semana, cada uno de ustedes guarde algo en su casa, atesorando en proporción a como esté prosperando, para que cuando yo llegue no haya entonces que levantar ofrendas.* Pablo nos enseña en este pasaje cuatro aspectos importantes de cómo honrar a Dios con nuestro dinero. ¿Cómo ofrendar? *El primer día de la semana*, es decir periódicamente. No se trata de dar una ofrenda hoy y luego hasta el otro año. Se trata de hacerlo cada semana. Debemos ofrendar al Señor periódicamente.

Además dice: *el primer día de la semana, cada uno de ustedes.* ¿Quiénes tenemos que ofrendar? Cada uno. Es decir, la esposa, los hijos, la suegra, el suegro, los abuelitos, las viudas, los huérfanos, y aun los niños. A ellos se les debe enseñar este principio desde pequeños, entregándoles algunas monedas para que ofrenden. Es decir, debemos ofrendar periódicamente, y luego hacerlo cada uno de nosotros. Todos tenemos que ofrendar al Señor.

También dice: *cada uno de ustedes guarde algo en su casa, atesorando en proporción a como esté prosperando.* Si el Señor lo bendijo con mil, aparte la décima parte. Si Dios lo bendijo con dos mil, dé conforme a lo que recibió. Si con 500, diezme la parte correspondiente.

Pablo instruyó a las iglesias de Galacia que la ofrenda debe ser periódica, que debe ser dada personalmente, y que se debe guardar una parte proporcional a nuestros ingresos. Esto es muy importante, porque el que no aprende a honrar a Dios con sus diezmos tendrá dificultades.

Proverbios 3:9, 10 dice: *Honra al SEÑOR con tus riquezas y con las primicias de todos tus frutos. Así tus graneros estarán llenos con abundancia, y tus lagares rebosarán de vino nuevo.* ¿Qué tenemos nosotros que hacer para llenar las bodegas a reventar, la billetera a reventar, la chequera a reventar, el estómago a reventar? Si queremos que el Señor nos bendiga tenemos que aprender a ser dadores, honradores de Dios. Al honrar a Dios con nuestros diezmos, el Señor nos bendice, nos prospera para que nosotros le continuemos honrando.

Dentro de este tercer elemento de las fórmulas bíblicas para prosperar, honrar a Dios con nuestros bienes, hay varios aspectos. Uno de ellos es darle al Señor su diezmo, porque el diezmo no es mío, es de Dios. De modo que cuando voy al templo digo: "Señor, aquí vengo a dejar tus diezmos". No son mis diezmos, porque no son míos, son del Señor. Y el Señor establece un piso para dar, el cual es el diezmo. El techo no tiene límites, pero el piso para dar es el diezmo. Por eso el diezmo es intocable para nosotros, porque es del Señor.

Malaquías 3:10 dice: *"Traigan todo el diezmo al tesoro, y haya alimento en mi casa. Pruébenme en esto, ha dicho el SEÑOR de los Ejércitos, si no les abriré las ventanas de los cielos y vaciaré sobre ustedes bendición hasta que sobreabunde.* En la versión RVR-60 dice: *Traed todos los diezmos al alfolí...* ¿Cuál es el alfolí? En la Biblia Nueva Versión Internacional dice claramente: *para los fondos del templo.* Los diezmos son del Señor y la Biblia dice claramente que debemos traer nuestros diezmos al alfolí, a los fondos del templo.

La gente suele pensar que es permitido que cada persona administre el diezmo del Señor. Piensa que puede dar el cinco por ciento a la iglesia, un dos por ciento al amigo que está preso, un dos por ciento a la tía que está viuda y el otro uno por ciento a un ministerio paraeclesiástico. ¿Estaría usted de acuerdo con que alguien le dijera que en lugar de pagar a la empresa que suministra la energía eléctrica repartiera esos 1.200 quetzales (para decirlo en moneda guatemalteca) y le diera 200 al supermercado, 400 a la tienda de mayoreo, 300 a un restaurante de comida rápida y el resto a la empresa proveedora de la energía eléctrica? ¿Qué piensa usted que diría la empresa eléctrica?

Usted no puede disponer de lo que le debe a la empresa que le suministró la energía eléctrica. Usted debe pagar lo que debe, porque de lo contrario, le cortarán el suministro. Ningún cristiano puede disponer del diezmo del Señor. Lo único que debe hacer con el diezmo del Señor es traerlo al fondo del templo. Algunos dicen: "¡Ah, hermano! Esa iglesia tiene mucho dinero. En cambio, yo prefiero ayudar a aquella iglesia donde hay extrema pobreza. Allí voy a mandar el dinero". ¿Será correcto eso? Usted puede ayudar a esa iglesia pero no con el diezmo del Señor. No salude con sombrero ajeno. Si usted quiere ayudar a la iglesia de su pueblo, hágalo del 90 por ciento que le quedó. Allí sí puede decir usted que ayudará a esa pequeña iglesia, que ayudará a ese familiar pobre, que ayudará a ese amigo que está necesitado. El diezmo del Señor lo tiene que traer al fondo del templo.

¿A qué templo? Al que usted asiste. Donde usted come. Donde usted se nutre espiritualmente. Por no hacer lo correcto, pasa un año, pasa el otro y usted no prospera. Si usted quiere prosperar, tiene que diezmar y honrar a Dios con sus bienes correctamente. El diezmo es del Señor y hay que traerlo al fondo del templo. Levítico 27:30 dice: *"Todos los diezmos de la tierra, tanto de la semilla de la tierra como del fruto de los árboles, pertenecen al SEÑOR. Es cosa sagrada al SEÑOR"*. Está consagrado para el Señor, por eso es que nosotros no podemos disponer de nuestros diezmos para otra cosa que no sea para traerlo al Señor.

Claro que en la época de Levítico no se manejaban los billetes ni los cheques como se hace ahora. Lo que la gente manejaba eran sembradíos y ganado. Por eso, de cada diez vacas traían una al Señor, de cada diez corderos, uno lo traían al Señor, de la cosecha, la décima parte de la producción apartaban para el Señor.

Había ocasiones cuando la gente prefería redimir su cosecha porque era posible conseguir un mejor precio en su pueblo. Entonces compraba el trigo que llevaba para el diezmo y lo vendía a un precio mejor de como lo venderían los sacerdotes.

Para esos casos el Señor dejó una prohibición muy interesante. Malaquías 27:31 dice: *Si alguno quiere rescatar algo de sus diezmos, añadirá una quinta parte a su valor.* Volvamos al pasaje de Malaquías 3:7-9: *"Desde los días de sus padres se han apartado de mis leyes y no las han guardado. ¡Vuélvanse a mí, y yo me volveré a ustedes!, ha dicho el SEÑOR de los Ejércitos. Pero ustedes dijeron: '¿En qué hemos de volver?'. ¿Robará el hombre a Dios? ¡Pues ustedes me han robado! Pero dicen: '¿En qué te hemos robado?'. ¡En los diezmos y en las ofrendas! Malditos son con maldición; porque ustedes, la nación entera, me han robado"*.

Cuando usted no entrega el diezmo al fondo del templo, le está robando a Dios. Uno de los mandamientos de la ley de Dios dice: *No robarás.* Pero lo más delicado es que uno resulta robándole a Dios, y eso es terrible.

Recuerdo una anécdota que me contó un predicador estadounidense radicado en México. Wayne Myers es un hombre muy generoso. Ha ayudado a muchas iglesias de México, consiguiéndoles material para sus techos. Ha hecho una labor muy interesante. Nos contaba que en una ocasión un hermano le dijo:

—Hermano Wayne, ¿va usted para tal lugar?

—Sí —le contestó.

—Después del servicio, ¿me puede llevar a ese lugar?

—Como no —le dijo.

Subieron al automóvil y en el camino le dice el hermano:

—Hermano Wayne, estoy pasando por una gran pena. Quisiera que usted me ayudara con una ofrenda, pues soy pobre y mi situación es difícil.

—Mire hermano —le dijo Wayne—. ¿Está usted diezmando?

—No hermano. Estoy tan mal económicamente que no he podido diezmar.

En ese momento el hermano Wayne dio un frenazo, estacionó el vehículo a la orilla de la carretera, en un lugar desolado, y le dijo:

—¡Bájese! Hágame el favor de salir del coche —le dijo.

—Pero ¿por qué, hermano?

—Yo no puedo andar con usted por aquí. Usted es peligroso. Usted es un delincuente —contestó el misionero.

—¿Cómo así?

—Si usted le roba a Dios, es capaz de robarme a mí. ¿Cómo que no le está dando los diezmos al Señor, si los diezmos son de él? Y si le está robando a Dios usted es capaz de robarme a mí. Así que mejor bájese.

—No hermano Wayne, le prometo que de aquí en adelante ya no voy a ser un ladrón.

Muchas veces no nos damos cuenta de lo que la Escritura dice. El Señor mismo dice: *Me han robado.* Y ahí mismo dice: *Malditos son con maldición.* No creo que nadie desee vivir bajo maldición. Pero si usted quiere vivir bajo maldición, entonces no diezme.

Créame que no va a prosperar, hasta que aprenda a dar al Señor lo que es del Señor. Dios quiere bendecirle. Esto es clave. Si usted ha sido un fiel diezmador está experimentando la bendición de Dios, y tenga la seguridad de que va a ser prosperado. Si usted ha llegado al fin de año y no ha cumplido con traer íntegros los diezmos al fondo del templo, se está arriesgando con el Señor. Está asegurando problemas económicos y de todo tipo para el futuro.

Este es un buen momento para decirle al Señor: "Perdóname por no haber cumplido fielmente. Ayúdame a cumplir con mi responsabilidad".

Pero hay mucho más. Nuestra responsabilidad va más allá del diezmo. Hay otros aspectos importantes y prácticos de la vida que son tomados en cuenta a fin de que seamos prosperados, como ser el manejo de nuestros negocios, el manejo de nuestro trabajo, el manejo de nuestro tiempo. Yo le puedo decir con propiedad que el Señor, en medio de estos años críticos, ha prosperado a su pueblo que se reúne en Fraternidad Cristiana de Guatemala, porque es un pueblo que ha aprendido a dar, a diezmar y a ofrendar.

Capítulo 3

Honrar a Dios con todo

Diezmos,

ofrendas y

promesas de fe

Muchas personas me han preguntado por qué iniciamos la construcción del nuevo templo, denominado la Mega Fráter, en tiempos cuando el país afrontaba una serie de problemas de tipo económico. El proyecto incluye la construcción de un templo para que 12.192 personas estén cómodamente sentadas, un edificio de seis niveles para el estacionamiento de vehículos, edificios para el área educativa, librería, cafetería y salas de usos múltiples en casi 11 manzanas de terreno.

Mi respuesta a esa pregunta ha sido la misma: Porque aprendimos las fórmulas bíblicas para prosperar. Dios ha bendecido a los miembros de la congregación al grado de que todos nos hemos comprometido a contribuir, regular y constantemente, para este proyecto, sin buscar financiamientos externos o préstamos de bancos o de entidades financieras. Es decir que no debemos un solo centavo.

En el libro de Josué, Dios da instrucción a Josué, el estadista y gobernante de Israel quien salió de Egipto con Moisés y millones de israelitas. Durante 40 años estuvo bajo el liderazgo de Moisés en el desierto, luego le tocó guiar al pueblo a la tierra prometida y luchar para conquistarla. El consejo que Dios le dio a Josué se aplica a usted y a mí hoy.

Dice Josué 1:8: *Nunca se aparte de tu boca este libro de la Ley; más bien, medita en él de día y de noche, para que guardes y cumplas todo lo que está escrito en él. Así tendrás éxito y todo te saldrá bien.* Cada fin de año hacemos una lista de nuevos propósitos, proyectos y planes; pues es natural que todos deseemos tener un año nuevo de éxito y prosperidad. Sin embargo, cuando nos acercamos a Dios pidiendo que cumpla sus promesas, tenemos que recordar que las promesas de Dios son condicionales. Si queremos que Dios cumpla sus promesas de prosperidad, éxito y bendición en nuestra vida, nosotros también tenemos que cumplir lo que está escrito en el libro de Dios nuestro Señor. Estas fórmulas bíblicas para prosperar tienen varios aspectos clave.

1) **Buscar a Dios primero.** Jesús lo enseñó desde el principio de su ministerio cuando estableció en Mateo 6:33 lo que se conoce como el "Sermón del monte", que es la filosofía de su reino, la constitución del reino de Dios. Dice: *Más bien, busquen primeramente el reino de Dios y su justicia, y todas estas cosas les serán añadidas.* ¿A qué cosas se refería? A la comida, a la ropa y a la vivienda, que es lo ele-

mental y que todo ser humano procura conseguir por medio de su trabajo.

Si queremos prosperar bíblicamente tenemos que recordar que primero hay que *buscar el reino de Dios y su justicia.* Busque primero a Dios, y el Señor lo bendecirá. No lo deje en segundo plano, mucho menos cuando esté en la prosperidad, cuando haya logrado el éxito, cuando esté en la "cumbre"; sí, así entre comillas. Nunca olvide que sobre un lugar alto hay otro más alto y ese es Dios, y a él tenemos que buscar primero.

Antes de buscar a los médicos cuando se sienta enfermo, busque a Dios primero; antes de buscar a los parientes ricos, busque a Dios primero en oración, en meditación, en la lectura de la Palabra.

2) **Creer y obedecer su Palabra.** Si buscamos a Dios primero y él nos habla, nuestro deber como cristianos es creer y obedecerlo. De nada sirve que usted escuche la Palabra de Dios si no la cree. Santiago dice que no debemos ser oidores olvidadizos sino hacedores de la Palabra. Deuteronomio 29:9 dice: *Guarden, pues, las palabras de este pacto y pónganlas por obra, para que prosperen en todo lo que hagan.*

Si nosotros ponemos en práctica lo que dice el pacto de Dios, sus promesas se cumplirán.

3) **Honrar a Dios con nuestros bienes.** En Mateo 6:19, 21 y 24, en el mismo Sermón del monte, Jesús establece que debemos procurar acumular tesoros en el cielo, porque si acumulamos tesoros en la tierra nos arriesgamos a que la polilla y el óxido los destruyan,

y a que los ladrones roben nuestros bienes. Por eso dice el Señor: *Acumulen para ustedes tesoros en el cielo, donde ni la polilla ni el óxido corrompen, y donde los ladrones no se meten ni roban* (v. 20).

La manera de acumular tesoros en el cielo es cuando traemos al Señor, con todo amor, nuestros diezmos y nuestras ofrendas. Eso se traduce en la salvación de almas, transformación de vidas, jóvenes drogadictos que se convierten en jóvenes sobrios, hombres alcohólicos que dejan el vicio, mujeres tristes que se vuelven mujeres equilibradas, hogares separados que se vuelven hogares integrados.

Cada vez que invertimos en su obra, de lo que el Señor nos da, estamos acumulando tesoros en el cielo, y eso es lo único que nos queda cuando el ladrón llega; es lo único que nos queda cuando la polilla y el óxido destruyen. Por eso se nos enseña en 1 Corintios 16:1, 2 que lo honremos con nuestros bienes. Pablo dice: *En cuanto a la ofrenda para los santos, hagan ustedes también de la misma manera que les ordené a las iglesias de Galacia. El primer día de la semana, cada uno de ustedes guarde algo en su casa, atesorando en proporción a como esté prosperando, para que cuando yo llegue no haya entonces que levantar ofrendas.*

¿Cuándo debemos diezmar? ¿Cuándo debemos ofrendar? Pablo nos enseña a hacerlo periódicamente. Cada uno de nosotros proporcionalmente, según haya sido prosperado, de acuerdo a nuestros ingresos. Este es el piso del dar. Lo mínimo que el cristiano debe dar es el diez por ciento de sus ingresos. Lo que usted debe dar para la obra del Señor es proporcional, y cuando usted lo aprende, Dios le prospera. Malaquías 3:10 dice, en cuanto al diezmo: *Traigan todo el diezmo al tesoro, y haya alimento en mi casa. Pruébenme en esto, ha dicho el SEÑOR de los Ejércitos, si no les abriré las ventanas de los cielos y vaciaré sobre ustedes bendición hasta que sobreabunde.*

Todos queremos que esa promesa se cumpla, queremos que caiga sobre nosotros bendición hasta que sobreabunde, pero nos resistimos a llenar la condición de traer todos los diezmos al templo. El cristiano no está autorizado para disponer a su antojo del diezmo del Señor, porque la Palabra de Dios dice claramente en Levítico 27:30: *Todos los diezmos de la tierra, tanto de la semilla de la tierra como del fruto de los árboles, pertenecen al SEÑOR. Es cosa sagrada al SEÑOR.* Nosotros no podemos, por lo tanto, disponer del diezmo del Señor. Por ejemplo, no debemos decir: "Voy a usar el diezmo de mi sueldo para ayudar a mi pariente pobre, para ayudar al orfanatorio, para ayudar a tal ministerio". No podemos disponer del diezmo. Nuestro compromiso es traer íntegro el diezmo al templo y entonces, al llenar esa condición, el Señor abrirá las ventanas del cielo y derramará sobre nosotros bendiciones sobreabundantes.

Desde el niño que depende de la mesada que se le da cada mes, hasta el joven que recibe dinero para sus gastos cada quince días, cada mes o cada semana, debemos instruirlos para que de cada dólar o quetzal (unidad monetaria de Guatemala) que se le entrega, diez centavos es el mínimo que debe traer al templo. Tenemos que comprender que es a nuestra congregación local a donde debemos traer nuestros diezmos. Honramos a Dios con nuestros bienes de dos maneras básicas: trayendo los diezmos íntegros al templo y trayendo las ofrendas al Señor.

Según 2 Corintios 9:12, 13 nuestras ofrendas tienen un beneficio múltiple: *Porque el ministrar este servicio sagrado no solamente suple lo que falta a los santos, sino que redunda en abundantes acciones de gracias a Dios. Al experimentar esta ayuda, ellos glorificarán a Dios por la obediencia que profesan al evangelio de Cristo, y por su liberalidad en la contribución para con ellos y con todos.*

Diezmos y ofrendas. Hay varias clases de ofrendas que nosotros traemos y con las cuales adoramos a Dios. Además, de esta manera cumplimos las condiciones para que él derrame sobre nosotros bendición. Una de estas ofrendas es la ofrenda destinada para la construcción del templo de Dios. Esto lo estamos viviendo en estos días, cuando cada uno trae ofrendas para la construcción del templo de Dios que hemos llamado Mega Fráter. Hay muchas personas que han decidido dar ofrendas extraordinarias, algunas de estas se llaman promesas de fe. Es creer que Dios suplirá extraordinariamente por encima de lo que nosotros tenemos para dar.

En la Biblia encontramos un ejemplo que, aunque no es el único, es uno de los más bonitos. Está en el primer libro de Crónicas. Es un ejemplo de cómo el pueblo aprendió a ofrendar al Señor y de la manera correcta para construir un templo.

> *Después el rey David dijo a toda la congregación: "Solo a mi hijo Salomón ha elegido Dios. Él es joven e inmaduro, y la obra es grande; porque el templo no será para hombre sino para el SEÑOR Dios. Con todas mis fuerzas he preparado para la casa de mi Dios: oro para las cosas de oro, plata para las cosas de plata, bronce para las cosas de bronce, hierro para las cosas de hierro, madera para las cosas de madera, piedras de ónice y de engaste, piedras de turquesa y de diversos colores; toda clase de piedras preciosas y piedras de mármol en abundancia. Además, en mi anhelo por la casa de mi Dios, doy mi tesoro personal de oro y de plata para la casa de mi Dios, además de todo lo que he preparado para el edificio del santuario; a saber: noventa y nueve mil kilos de oro,*

oro de Ofir, y doscientos treinta y un mil kilos de plata refinada para recubrir las paredes de los edificios: oro para las cosas de oro, y plata para las cosas de plata; para toda la obra de mano de los artífices. Y ahora, ¿quién de ustedes se consagrará hoy al SEÑOR, haciendo una ofrenda voluntaria?". Entonces los jefes de las casas paternas, los jefes de las tribus de Israel, los jefes de millares y de centenas, y los encargados de las obras del rey hicieron ofrendas voluntarias. Y dieron para el servicio de la casa de Dios ciento sesenta y cinco mil kilos de oro y diez mil monedas de oro, trescientos treinta mil kilos de plata, quinientos noventa y cuatro mil kilos de bronce y tres millones trescientos mil kilos de hierro. Todo el que tenía piedras preciosas las entregó en manos de Yejiel el gersonita, para el tesoro de la casa del SEÑOR. Y el pueblo se regocijó por haber contribuido con ofrendas voluntarias, porque con un corazón íntegro habían hecho al SEÑOR ofrendas voluntarias. Y el rey David se alegró muchísimo (1 Crónicas 29:1-9).

Es un ejemplo extraordinario de cómo se construyó el templo que es conocido como el templo de Salomón, el primer templo que construyó Israel en Jerusalén. Debemos aprender a dar como dieron esos israelitas, en primer lugar *voluntariamente*. Nadie está obligado por Dios a dar. Nosotros tampoco forzamos a nadie a dar, todo lo que damos para la obra del Señor lo damos voluntariamente. Además de dar voluntariamente, esta gente nos enseñó que debemos dar generosamente. David dio todo lo que tenía, una fortuna extraordinaria, y los jefes de los israelitas dieron igualmente una fortuna extraordinaria. Cada uno dio de acuerdo a su capacidad, por eso el templo de Salomón se convirtió en una de las maravillas del mundo. A pesar de que ha sido destruido varias veces y reconstruido también varias veces, todavía es objeto de aprecio y admiración del mundo entero.

Los que hemos tenido la oportunidad de estar en Jerusalén y de estar en el Muro de los Lamentos, hemos podido apreciar el amor que experimentan los judíos que llegan a orar a la orilla, a pesar de que lo que ahí queda son solamente algunos restos de lo que fue el gran templo de Salomón. Allí, en esa colina llamada "monte Moríah", fue donde Abraham presentó a su hijo Isaac para sacrificarlo. Precisamente allí en ese punto hay una mezquita llamada el Domo Dorado, el Domo de la Roca. Y en el otro extremo hay otra mezquita que usan los musulmanes para su culto cotidiano.

Allí mismo fue donde se construyó el templo de Salomón, y se construyó a través de las ofrendas voluntarias, generosas y con contentamiento que dio el pueblo. Por eso cuando ofrendemos y diezmemos debemos dar con alegría; generosa y voluntariamente. Cuando pasen por su lado recogiendo diezmos y ofrendas, sonría. Que su cara muestre su alegría. Debe recordar que usted lo está dando al templo del Señor, y por lo tanto dé con gozo, porque el Señor ama al que da con alegría.

Tenemos que dar, no con tristeza ni por necesidad, porque Dios ama al que da con alegría (2 Corintios 9:7). La oración que hizo David en 1 Crónicas 29:10-12a es muy linda: *David bendijo al SEÑOR a la vista de toda la congregación. Y dijo David: "¡Bendito seas tú, oh SEÑOR Dios de Israel, nuestro Padre desde la eternidad y hasta la eternidad! Tuyos son, oh SEÑOR, la grandeza, el poder, la gloria, el esplendor y la majestad; porque tuyas son todas las cosas que están en los cielos y en la tierra. Tuyo es el reino, oh SEÑOR, y tú te enalteces como cabeza sobre todo.*

Las riquezas y la honra provienen de ti. Tú lo gobiernas todo". Por eso el primer elemento de esta fórmula bíblica para prosperar es: buscar primero a Dios, porque dice el pasaje: *Las riquezas y la honra provienen de ti. Tú lo gobiernas todo".* Si usted busca riqueza, no busque primero la riqueza, busque primero a Dios, él es el dador de la riqueza. Si usted busca honor, busque primero a Dios, él es quien nos da el honor.

El Señor dice: *Yo honraré a los que me honran* (1 Samuel 2:30). Por eso estamos hablando de honrar a Dios con nuestros bienes. "*Las riquezas y la honra provienen de ti. Tú lo gobiernas todo; en tu mano están la fuerza y el poder, y en tu mano está la facultad de engrandecer y de fortalecer a todos. Y ahora, oh Dios nuestro, nosotros te damos gracias y alabamos tu glorioso nombre. Porque, ¿quién soy yo, y qué es mi pueblo, para que podamos ofrecer espontáneamente cosas como estas, siendo todo tuyo, y que de lo que hemos recibido de tu mano, te damos?"* (1 Crónicas 29:12-14).

Eso que le hemos dado al Señor ¿de quién lo hemos recibido? Lo hemos recibido de Dios. Cuando nacimos, nacimos desnudos; bonitos, pero sin un centavo. Cuando muramos, moriremos desnudos, arrugados y sin un centavo. En el ínterin nosotros debemos administrar debidamente lo que recibimos del Señor, y por eso mismo, de lo que de él recibimos le traemos diezmos y ofrendas. *Somos forasteros y advenedizos delante de ti, así como todos nuestros padres. Nuestros días son como una sombra sobre la tierra, y sin esperanza. Oh SEÑOR, Dios nuestro, toda esta abundancia que hemos preparado para edificar una casa a tu santo nombre, de tu mano proviene y todo es tuyo. Yo sé, oh Dios mío, que tú pruebas el corazón y que te agrada la rectitud. Por eso, con rectitud de corazón te he ofrecido voluntariamente todo esto. Y ahora he visto con alegría que tu pueblo que se encuentra aquí ha dado para ti espontánea-*

mente. Oh SEÑOR, Dios de Abraham, de Isaac y de Israel, nuestros padres, preserva esto para siempre, formando el pensamiento del corazón de tu pueblo, y predispón su corazón hacia ti (1 Crónicas 29:15-18).

Diferentes tipos de ofrendas

Otro tipo de ofrendas que podemos dar es la que menciona el apóstol Pablo en 2 Corintios 11. Pablo fue uno de esos predicadores extraordinarios. Además de predicar tenía una empresa de construcción de tiendas de campaña. Construía casas. Cada vez que llegaba a un lugar establecía su empresa y empezaba a fabricar las tiendas de campaña. De esa manera se sostenía, y así estableció un estilo de obra misionera que se está siguiendo hasta el día de hoy. Se les llama a los ejecutivos que trabajan viajando de país a país "hacedores de tiendas" porque pueden llevar el mensaje del evangelio a cualquier lugar a donde llegan y reciben su sueldo de la empresa transnacional que los emplea. Ellos van a países como Japón, donde hay muchos misioneros que trabajan como maestros de inglés. Mientras enseñan inglés, comparten poco a poco la Palabra de Dios con los budistas japoneses. En otros casos, llegan a un país para trabajar como ingenieros, sostenidos por las empresas que los contratan, y aprovechan su estadía en ese lugar para compartir la Palabra del Señor.

El apóstol Pablo era uno de esos. Fue el primero que se sostuvo con las ganancias de su propio negocio como hacedor de tiendas y que también se dedicaba a predicar la Palabra. Sin embargo, dice en 2 Corintios 11:8, 9: *He despojado a otras iglesias, recibiendo sostenimiento para ministrarles a ustedes. Cuando estaba entre ustedes y tuve necesidad a ninguno fui carga porque lo que me faltaba lo suplieron los hermanos cuando vinieron de Macedonia. En todo me guardé de serles gravoso, y así me guardaré.*

Con las ofrendas que dan los miembros de la congregación hemos sostenido a misioneros en otros continentes. También apoyamos a los programas de ayuda en las aldeas pobres donde se llevan médicos, medicinas, alimentos y ropa a los más necesitados. Ojalá pudiéramos ofrendar como lo hicieron los macedonios para el ministerio de Pablo. Los de la iglesia de Corinto eran tan carnales y tan tacaños que ni daban ofrendas. Hablaban en otras lenguas pero ¡no daban ofrendas! Cuando Dios unge, la unción baja desde la cabeza hasta los pies; es decir que pasa por el codo también. Y si pasa por el codo podemos nosotros dejar de ser avaros, y dar ofrendas. Por eso Pablo les escribe a los macedonios, a los que viven en Filipo, en esa gran provincia de Macedonia: *No es que busque donativo sino que busco fruto que abunde en la cuenta de ustedes* (Filipenses 4:17). Pablo trata de aumentar el crédito a la cuenta de ellos. Si usted entiende algo de contabilidad sabe bien que el crédito es todo lo que le favorece. Lo que le acreditan es todo lo que le favorece, que lo enriquece. El débito es todo lo que usted tiene que pagar. *Sin embargo, todo lo he recibido y tengo abundancia. Estoy lleno, habiendo recibido de Epafrodito lo que enviaron, como olor fragante, un sacrificio aceptable y agradable a Dios. Mi Dios, pues, suplirá toda necesidad de ustedes conforme a sus riquezas en gloria en Cristo Jesús* (Filipenses 4:18, 19).

Me ha tocado predicar en las áreas rurales de mi país donde vive la gente muy sencilla. A veces me ponen en la mano una ofrenda y quisiera decirles "mejor quédese con ella porque usted vive en este ranchito de tierra con mucha escasez". Pero, como dice Pablo, al recibir esa ofrenda nosotros estamos aumentando el crédito a la cuenta de ellos. Lo que usted da para la construcción de un templo de Dios, o lo que usted da para sostener a un siervo de Dios, créame que el Señor se encargará de reponérselo, de bendecirlo abundantemente. Son distintas maneras de honrar a Dios con nuestros bienes.

Capítulo 4

El préstamo que Dios mismo paga

Ayudar a los pobres

Hemos aprendido que si queremos prosperar tenemos que buscar a Dios primero, antes de comprar amuletos y todo lo que aparentemente da suerte. Lo primero es buscar a Dios. La Biblia dice que el que busca primero el reino de Dios y su justicia, todo lo que es vestuario, comida y vivienda le será añadido (Mateo 6:33).

En segundo lugar, debemos creer y obedecer la Palabra de Dios. Si creemos a Dios y obedecemos lo que él nos dice seremos prosperados. A Josué (1:8) se le dijo claramente que si quería ser prosperado y exitoso tenía que creer y meditar en la Palabra de Dios, además de practicar la obediencia a los mandamientos.

El tercer aspecto de estos fundamentos bíblicos para prosperar es honrarlo con nuestros bienes. Él nos bendice porque nos puso aquí en la tierra para señorearla. Creó todo este planeta para que nosotros podamos disfrutarlo. Puso a Adán en un paraíso para que lo disfrutara y para que lo administrara. Es su voluntad que nosotros estemos bien y seamos prosperados. Solo debemos honrarlo con nuestros bienes.

¿Cómo honramos a Dios con nuestros bienes? Cuando damos nuestro diezmo al Señor, y cuando lo damos según Pablo nos enseña: de buena gana, alegre y generosamente. Cuando nosotros somos fieles diezmadores el Señor nos bendice. Malaquías 3:10 nos enseña: *"Traigan todo el diezmo al tesoro, y haya alimento en mi casa. Pruébenme en esto, ha dicho el SEÑOR de los Ejércitos, si no les abriré las ventanas de los cielos y vaciaré sobre ustedes bendición hasta que sobreabunde.*

¿Qué es el diezmo? Es el diez por ciento de todos mis ingresos. Es lo mínimo que debemos dar para la obra del Señor. Si nos permite ingresar mil, debemos dar cien; si nos permite ingresar un millón, hay que dar cien mil; si permite cincuenta, le doy cinco. Ese es el mínimo, y cuando somos fieles en lo poco, somos puestos en lo mucho, pero debemos aprender que este es nuestro nivel de dar. Todo cristiano, desde el nieto hasta el abuelo, debe aprender a diezmar.

Honramos a Dios con nuestros bienes a través de las ofrendas. Cuando aprendemos a honrar a Dios con nuestros bienes, somos bendecidos. Hemos visto que hay diferentes tipos de ofrendas; una de ellas es la ofrenda que damos para el templo de Dios, para su construcción (1 Crónicas 29:6, 7). En este caso el pueblo de Israel dio voluntaria y generosamente. Pero también debemos notar que David entregó todo el oro y la plata que tenía para la construcción del primer templo que se hizo para Dios.

Ya se había levantado el tabernáculo en el desierto y el pueblo también contribuyó generosamente para ese fin. Pero era un templo portátil, aunque lindo y bello. Sin embargo, el templo que se construyó en Jerusalén fue el primero, donde está situado ahora el Domo de la Roca, (conocido también como el Domo Dorado, o la Mezquita de Omar); es allí donde está el Muro de los Lamentos. Este muro es una de las reliquias que queda como ruinas del último templo; pues el primer templo que Salomón construyó fue destruido, reconstruido, vuelto a destruir y vuelto a construir. Ahora están deseando construirlo de nuevo.

Además, al ir estudiando estas fórmulas bíblicas para prosperar, establecimos que debemos aprender a dar ofrendas para los siervos de Dios. Pablo agradeció a los filipenses por las ofrendas que recibía. Les escribió: *En gran manera me regocijé en el Señor porque al fin se ha renovado la preocupación de ustedes para conmigo* (Filipenses 4:10). Muchas veces el Señor suple necesidades poniendo en nuestro corazón dar una ofrenda para un siervo de Dios. Debemos estar siempre listos para obedecer con generosidad en estos casos.

También necesitamos aprender a dar para la obra de Dios. Todo lo que hacemos en Fraternidad Cristiana de Guatemala, como ser la construcción del Mega Proyecto, las jornadas médicas en áreas rurales, la atención a los hombres y mujeres en las cárceles, el transporte provisto para varias internas a una de las cinco universidades locales para que obtengan el certificado de licenciatura, lo hacemos gracias a los diezmos y ofrendas que los hermanos proveen para la obra del Señor. No hubiéramos podido adquirir las instalaciones, el terreno, el equipo de sonido, los instrumentos (y mantenerlos en perfectas condiciones), si no fuera por las ofrendas que los miembros de la congregación dan para la obra de Dios.

Dios nos ha bendecido de tal manera que hace unos años compramos en Santa Ana, El Salvador, seis manzanas de terreno para la obra de Dios. También compramos, para la obra de Dios, una manzana en Santiago Atitlán, un municipio ubicado en el occidente del país, territorio Zutuhil, (uno de los tres principales señoríos indígenas que existían antes de la conquista española). Además, hemos podido llevar el evangelio a varios países del continente americano, gracias a las ofrendas de los hermanos.

Jesús, en el Sermón del monte dijo, según Lucas 6:38: *Den, y se les dará; medida buena, apretada, sacudida y rebosante se les dará en su regazo. Porque con la medida con que miden se les volverá a medir".* Jesús nos enseñó a dar y damos de nuestro dinero; pero damos también de nuestro tiempo, de nuestro amor, de nuestro talento. Damos de nuestro servicio, damos nuestra casa, damos nuestros muebles para que vengan otros y se enriquezcan en las cosas del Señor. Tenemos que aprender a dar para la obra de Dios. Jesucristo nos enseñó que no debemos acumular *tesoros en la tierra, donde la polilla y el óxido corrompen, y donde los ladrones se meten y roban.*

Cada vez que usted comparte la Palabra de Dios está acumulando para el tesoro celestial. Allá no existen los problemas de este mundo terrenal, problemas serios de graves consecuencias: golpes de estado, masacres, guerras, crisis económicas, inseguridad, peleas entre pandillas, recesiones. Esto no ocurre en el cielo. Allí no existe inflación, ni recesión, ni devaluación; pero sí existe bendición para todo aquel que ofrenda y hace tesoros en el cielo. Lo único que nadie nos puede robar es lo que hemos dado para la obra de Dios.

Proverbios 11:24, 25 dice: *Hay quienes reparten y les es añadido más; y hay quienes retienen indebidamente solo para acabar en escasez. La persona generosa será prosperada y el que sacia a otros también será saciado.* Lo dijo muy claramente el rey Salomón, un hombre que supo lo que es tener riqueza, poder, fama y sabiduría: *Hay quienes reparten y les es añadido más.* Esta aparentemente sencilla acción llega a cobrar importancia cuando una persona está capacitada para dar; Dios la prospera y le manda en cantidades extraordinarias.

Hace algunos años recibí una llamada telefónica de un amigo que vive en Costa Rica. Él me dijo:

—Mira Jorge, te estoy llamando porque de parte de la Asociación Billy Graham quieren enviar unos juguetes para los niños pobres de Guatemala, y creo que tú puedes ayudar a repartirlos.

—Te voy a avisar —le dije.

—No, ya te los mandé —dijo mi amigo.

Venían varios furgones con cajas llenas de juguetes y otros objetos que personas de Canadá y de los Estados Unidos de América habían donado a fin de año para ayudar a los niños pobres de otros países. Había que hacerlos llegar a la gente necesitada, así que tomé la decisión de llamar a un par de hermanos que sabía que podían ayudar bien en esta tarea.

El hermano Edgar Aquino nos ayudó a organizar la distribución de los juguetes, supervisando personalmente la entrega, y viajando de un lugar a otro para cumplir la misión que se le había encargado. Esto nos dejó la enseñanza de que cuando usted recibe y reparte, se le da más. Cuando nosotros recibimos y damos se nos es dado más, pero si nosotros no damos correctamente lo que recibimos ¿cree que se nos dará más después? No. Si usted es como el mar Muerto que solo recibe y no da, usted no podrá ser fructífero. El mar Muerto recibe las aguas del río Jordán pero no las devuelve porque no tiene canales de salida. Allí se queda, allí se pierde. El agua del mar Muerto, como consecuencia del depósito de minerales, tiene un sabor amargo. En cambio, el agua del río Jordán enriquece a todo Israel y en sus riberas hay grandes extensiones de terreno que producen flores, naranjas, verduras y todo tipo de fruta; es porque es una agua que corre, es una agua que da, es un agua que sirve para que otros rieguen sus cultivos.

Me permito preguntarle: ¿Es usted como el mar Muerto o como el río Jordán? ¿Es usted quien recibe solo para acumular, o recibe para dar? El que da prospera, el generoso es prosperado.

Dar para la obra de Dios y dar para sembrar es otro tipo de ofrendas que no solamente nos permiten cumplir con los mandamientos del Señor, sino que nos abren los cielos para recibir la bendición de prosperar. ¿Habrá sembrado usted alguna vez en la vida? Cuando usted siembra, cosecha. La ley de la cosecha se aplica siempre. Siembre amor y cosechará amor, siembre respeto y cosechará respeto. Siembre vientos y cosechará tempestades. Cada vez que nosotros sembramos en la obra del Señor, cosechamos.

En 2 Corintios 9:6-9 leemos: *Y digo esto: El que siembra escasamente cosechará escasamente, y el que siembra con generosidad también con generosidad cosechará. Cada uno dé como propuso en su corazón, no con tristeza ni por obligación porque Dios ama al dador alegre. Y poderoso es Dios para hacer que abunde en ustedes toda gracia, a fin de que, teniendo siempre en todas las cosas todo lo necesario, abunden para toda buena obra; como está escrito: Esparció; dio a los pobres. Su justicia permanece para siempre.* Yo he vivido en distintas circunstancias y siempre he sido abundado porque mi fe está puesta en Dios, y he aprendido a sembrar en toda circunstancia, en todo gobierno, en todo momento. Si usted siembra, siempre cosechará. *El que da semilla al que siembra y pan para comer, proveerá y multiplicará la semilla de ustedes y aumentará los frutos de la justicia de ustedes* (v. 10).

Preste atención a este versículo: *Esto, para que sean enriquecidos en todo para toda liberalidad, la cual produce acciones de gracias a Dios por medio de nosotros* (v. 11). He conocido a miembros de la congregación que fueron pobres, incluso extremadamente pobres, pero el Señor los ha enriquecido en todo sentido. Los enriqueció en espíritu, en salud, en su negocio, en su dinero. Fueron bendecidos porque esa es la promesa del Señor para que nosotros seamos hoy, y en todos los tiempos, enriquecidos. En ninguna parte de la Biblia dice que "el Señor quiere que seamos empobrecidos".

¡Gracias a Dios! Él no quiere que a usted le falte nada. Él no quiere que ande pidiendo limosna, no quiere que pase hambre. Quiere que usted esté enriquecido en todo sentido. Esto lo dice Pablo después de enseñarnos que debemos sembrar. El que siembra poco, cosecha poco. El que siembra mucho, cosecha mucho. Vale la pena sembrar en la obra del Señor porque hay una respuesta de prosperidad. Pero también vale la pena recordar que el diezmo es algo consagrado al Señor. Usted no puede administrar el diezmo del Señor, porque le pertenece al Señor. Ese diezmo lo debe traer a la iglesia y la iglesia lo administrará. Y después de dar el diezmo, usted puede ofrendar todo lo que quiera: a la viuda, a un centro de huérfanos, al pobre, al hospital, a un siervo de Dios; a quien quiera. Pero los diezmos debe traerlos íntegros a la casa del Señor.

Dar para sembrar es muy importante. Cada vez que nosotros damos, recibimos.

Hasta aquí hemos aprendido que debemos buscar primero a Dios, creer y obedecer la Palabra de Dios, y honrar a Dios con nuestros bienes a través de los diezmos, a través de las ofrendas para la construcción del templo, a través de las ofrendas para el siervo de Dios, a través de las ofrendas para la obra del Señor, y a través de dar para sembrar.

En cuarto lugar, en esta fórmula bíblica para prosperar, está dar para ayudar al pobre.

Viene a mi mente la historia de un hermano que me dijo:

—Cuando yo vine a la ciudad, vine con un pequeño morral al hombro. No tenía nada y me encontraba a la puerta de una pensión. Pero el Señor me bendijo y me prosperó. Me quedé con el morral para recordarme que una vez fui pobre, y para recordarme que tenemos que ayudar a los pobres.

Eso de ser pobre es triste. Se levanta uno por la mañana y no hay comida, no hay un segundo par de zapatos, no hay trabajo; solo hay dificultades. Pero qué gozo se siente cuando alguien le da a usted una mano para ayudarlo en su necesidad.

Recuerdo cuando era niño y estaba con mi familia. Éramos pobres, tan pobres que otros pobres tenían lástima de nosotros. En una ocasión, los misioneros de la iglesia trajeron unos barriles grandes llenos de ropa. En ese entonces traían pacas de ropa usada, no para vender como se acostumbraba en esos tiempos, sino para regalar a los pobres. Una vez tuve un pantalón de marca conocida, gracias a que alguien en la iglesia me lo regaló.

¡Qué bien se siente cuando uno tiene su pantalón de marca!

Créame, ahí cerca de donde usted vive, donde usted trabaja, hay gente pobre. Usted quizá tiene ropa que ya no usa porque sus hijos crecieron, o porque tuvieron otra nueva. Regale los pantalones, los zapatos y otros artículos que ya no necesita.

Si usted es una dama y tiene ropa que ya no usa, créame que hay señoras que la necesitan; compártala para suplir una necesidad. Dar y recibir gozo es también parte de nuestra vida consagrada a la obediencia del Señor. Es importante ayudar al pobre.

Proverbios 19:17 nos deja una enseñanza: *El que da al pobre presta al SEÑOR y él le dará su recompensa.* El que da al pobre, presta a Jehová. El bien que ha hecho se lo volverá a pagar. Créame que cuando uno da al pobre, lo más probable es que se le devuelva lo que dio. Yo conozco a gente pobre muy responsable que, aunque le cueste mucho, pagará. Pero usted no se lo debe dar prestado, sencillamente regáleselo. Siembre en ellos un poco de lo que el Señor le ha dado. Lo que usted en realidad está haciendo es prestarle al Señor. Dios sí paga. Y cuando usted le da al pobre, el Señor lo bendice. El Señor no se queda con nada.

Yo nunca me olvido de lo que pasó hace muchos años, quizá unos 25, cuando estábamos viviendo en un pequeño apartamento en una colonia al sureste de la ciudad capital. Era nuestro palacio porque era la primera propiedad que obteníamos. Una familia que vivía en ese mismo sector estaba pasando por una terrible y tremenda pobreza. Cuando mi esposa y yo nos enteramos, decidimos que le daríamos el pollo que teníamos en el refrigerador, y así lo hicimos. Ese mismo día o al día siguiente, (ya no me acuerdo muy bien), unos hermanos llegaron a nuestra casa y nos entregaron un pavo. El que da al pobre, ¿a quién le presta? ¡A Dios! Dios no se queda con nada, devuelve lo prestado y más. Desde una colonia muy exclusiva, una familia muy querida y muy adinerada obedeció cuando el Señor les mandó llevar un pavo desde un extremo de la ciudad al otro. Claro, para ellos los pobres éramos nosotros; para mí el pobre era otro. Pero todos, por más pobres que seamos, podemos ayudarle a otro pobre.

Nunca olvidaré un día que nos encontrábamos en la iglesia y el pastor dijo: "Aquí tenemos a una señora que viene enferma y que debe atenderse por varios días con un médico y no tiene dónde dejar a su niñito. Necesito a una familia que se haga cargo del pequeño". Alguien en la congregación levantó la mano. ¿Saben quién fue? ¡Mi mamá! Yo pensé: "Somos cinco hijos comelones en la casa; hay que orar con las manos puestas sobre el pan para que no se lo quiten sus hermanos, y mi mamá, todavía así, ¡recibe a otro más!". Cuando uno es niño, actúa con egoísmo y quiere que todos los panes sean para él. Ni siquiera le pasa por la mente dárselo a otro. "Esa mi mamá", pensé, "no sólo estamos en malas condiciones económicas sino que todavía ofrece darle de comer a otro muchacho más".

Pero ella había aprendido que el que da al pobre, a Dios le da prestado. Y ese muchacho estuvo ahí no solo un día ni dos ni tres, estuvo muchos *años* en la casa. Claro, después lo acepté como si fuera mi hijo y lo ayudé a crecer.

Finalmente, el Señor sanó a la mamá del niño. El muchacho creció y con frecuencia llama a mi mamá y la visita. ¿Cómo creen que le dice a mi mamá? ¡Mamá!

Aprendí que, a pesar de tener escasos recursos, se puede ayudar al pobre.

En su misma comunidad hay gente pobre que usted conoce,

parientes o vecinos; invítelos a comer. No hay nada más feliz para un niño que lo inviten a comer. Hay que ayudar al pobre. Es muy importante no olvidarse de él.

Conozco a muchos que son generosos con los pobres. En una ocasión supe de una señora que había enviudado y necesitaba dinero para los gastos de los útiles de sus hijos. Un hermano ofreció comprar los útiles, pero quería hacerlo en forma anónima. Eso es ayudar al que necesita. Si sabe de alguien que tiene una necesidad, no se haga de oídos sordos.

Proverbios 28:27 dice: *Al que da al pobre no le faltará, pero el que cierra ante él sus ojos tendrá muchas maldiciones.* Hace algún tiempo en una aldea al oriente de Guatemala se produjo una hambruna galopante como consecuencia de la sequía y la baja en los precios del café en el mercado internacional. El ministerio de Jornadas Médicas de nuestra iglesia, que es integrado por profesionales de la medicina y especialistas en cada ramo, más otras personas muy valiosas, no solamente cumplió el objetivo de atender a los campesinos obsequiándoles medicina, ropa y comida, y dándoles la atención médica correspondiente, sino que además dieron su tiempo para levantar la estructura del primer templo evangélico en el lugar, e instalar totalmente el techo. El mismo equipo de voluntarios ofrendó para comprar la lámina de zinc. Estamos practicando lo que predicamos, por eso el Señor nos está bendiciendo y prosperando. El Señor quiere que todos seamos prosperados y bendecidos, pero debemos poner en práctica lo que hemos aprendido de la Palabra del Señor. Para eso tenemos que estar dispuestos a implementar estos principios que nos enseñan a honrar a Dios con nuestros bienes. ¡Ayudemos al pobre!

Proverbios 21:13 dice: *El que cierra su oído al clamor del pobre también clamará y no se le responderá.* ¡Mire qué cosa más terrible! Le quiero decir algo muy importante. No todos los que piden limosna son pobres. Hay limosneros profesionales que se van a su casa cada día contando cientos de billetes en su bolsa. Cuentan historias muy convincentes y hasta se ponen cartelitos que dicen: "Soy mudo", pero de mudo no tienen nada; "soy sordo", pero si usted los insulta, son prontos para contestar. Tenga cuidado, porque no todos los que dicen ser pobres lo son, ni todos los que dicen ser apóstoles lo son, ni todos los que dicen ser cristianos lo son, ni tampoco todos los que dicen ser necesitados lo son. Por eso es tan importante conocer, y para eso hay que pedirle a Dios sabiduría y discernimiento.

A pesar de todo esto hay mucha gente que usted conoce que sí tiene necesidad y a quien usted puede ayudar. Hay que recordar que debe tenderle la mano a quien necesita recibir ayuda.

Siempre que el Señor hace una promesa pone una condición, pues sus promesas son condicionales. Si traemos los diezmos al templo se abrirán las puertas de los cielos y habrá protección y abundancia. Pero si no traemos lo que es del Señor al Señor, no las habrá. El Señor tiene muchas maneras de bendecirnos y una de sus favoritas es por medio del trabajo; por eso el Señor quiere que nosotros seamos buenos trabajadores.

Capítulo 5

Ser buenos trabajadores

El trabajo diligente,

factor clave para prosperar

La prosperidad de Dios es integral; abarca el espíritu, el alma y el cuerpo. Los seres humanos buscamos mucho el bienestar del cuerpo, o sea, lo material. Pero también debemos buscar la prosperidad espiritual porque ambas van de la mano. Dios quiere que seamos personas prósperas, como lo encontramos en la tercera epístola de Juan, versículo 2, donde nos dice: *Amado, mi oración es que seas prosperado en todas las cosas y que tengas salud, así como prospera tu alma.*

Ya establecimos que lo prioritario es buscar a Dios primero. *Más bien, busquen primeramente el reino de Dios y su justicia, y todas estas cosas les serán añadidas* (Mateo 6:33 NVI).

En segundo lugar, tenemos que creer a Dios y obedecer sus

mandamientos. A Josué se le dijo que debería meditar y recitar la Palabra de Dios, y ponerla en práctica, pues entonces sería prosperado y tendría éxito en todas las cosas.

En tercer lugar, hay que honrar a Dios con nuestros bienes. Cada vez que cumplimos con el propósito bíblico de traer íntegros los diezmos a los fondos del templo, estamos asegurando que Dios abrirá las compuertas de los cielos y derramará sobre nosotros bendiciones sobreabundantes. Cada vez que venimos al templo y traemos ofrendas para la obra de Dios, para un siervo de Dios o para la construcción del templo, estamos honrando a Dios con nuestros diezmos.

En cuarto lugar, no nos olvidemos de ayudar al pobre. Hay pobres a nuestro alrededor. Jesús dijo que a los pobres siempre los tendríamos con nosotros. Proverbios 19:17 dice que *el que da al pobre presta al SEÑOR y él le dará su recompensa.* Dios bendice al hombre que es generoso con el pobre.

El quinto elemento de esta fórmula bíblica para prosperar se forma de dos palabras muy fáciles de recordar: **ser trabajador**. Todos necesitamos ser trabajadores. El apóstol Pablo dijo claramente: *si alguno no quiere trabajar, tampoco coma.* Así que todo el que coma trabaje, y todo el que trabaja puede comer bien. Ser trabajador es uno de los elementos claves para obtener la prosperidad en nuestra vida. Hay una canción que se hizo famosa hace años: "A mí me dicen el negrito del batey, porque el trabajo para mí es un castigo". ¿Se acuerda? Y dice el resto de la canción: "Yo le dejo el trabajo solo al buey, para mí el trabajo es un enemigo". Quiero decirle que eso es totalmente falso. Cuando Dios creó al hombre y lo puso en el jardín del Edén, lo puso para que cuidara y labrara la tierra. Dios no lo puso solo para que tuviera unas largas vacaciones, lo puso allí para trabajar, labrar y administrar la tierra. Así que el trabajo no es la consecuencia de la desobediencia del hombre. Ya Dios había ordenado el trabajo como parte de su plan para su pueblo.

Por lo anteriormente expuesto, le puedo asegurar bíblicamente que el trabajo no es una maldición. Por el contrario, es una bendición. Si usted lo tiene, bendiga a Dios. Si tiene la oportunidad de trabajar, haga como dice la Biblia en Proverbios 22:29 (NVI): *¿Has visto a alguien diligente en su trabajo? Se codeará con reyes, y nunca será un Don Nadie.* Toda persona que trabaja, y además es diligente, es una persona que será pronto promocionada en la empresa o en la oficina; será pronto colocada en puestos de supervisión, de dirección, de gerencia, de gobierno. Es importante que nosotros nos demos cuenta de que el trabajar es bueno y que el ser trabajadores diligentes nos hace mejores.

Proverbios 28:19 (NVI) nos dice: *El que trabaja la tierra tendrá abundante comida; el que sueña despierto solo abundará en pobreza.* Todos tenemos derecho a soñar con una vida confortable, acomodada; con tener muebles nuevos, casa propia, vehículos; con viajar, obtener títulos académicos, tener nuestra propia empresa, pero no es suficiente soñar despierto. Es importante labrar la tierra. Hay tierra física que si se labra, se cultiva y se siembra produce comida en abundancia.

En los últimos años hemos visto en nuestro país la producción de verdura que era desconocida para nosotros. Hace solo 25 años que el brócoli se introdujo en Guatemala. Ahora se da en abundancia, se consume en gran cantidad y se exporta a diferentes mercados internacionales. La ocra es otra verdura que tampoco conocíamos, era totalmente nueva para nosotros. Ahora se produce y se exporta. Hay empresas encargadas de empacarla y colocarla en los supermercados de otros países, como los Estados Unidos de América, en donde hay un gran consumo. El que siembre la tierra tendrá comida en abundancia.

Es importante también que labremos la tierra mental. Acuérdese de que somos tierra. La Biblia dice que hemos sido formados del polvo de la tierra. Labremos la "tierra" de nuestro cerebro, no muera con el cerebro virgen. Úselo. Lábrelo. Cultívelo, y podrá ser prosperado. Trabaje también la tierra de su cerebro.

En Proverbios 10:4 encontramos otro consejo necesario para prosperar. *La mano negligente empobrece, pero la mano de los diligentes enriquece.* Las manos tienen un simbolismo extraordinario en la vida. Uno de ellos es que con las manos podemos trabajar. Por ejemplo, las manos finas de una cultora de belleza que se utilizan para embellecer, las de un cirujano que cuida la salud del cuerpo humano y con ellas conduce finamente el bisturí en una operación quirúrgica, las del abogado que con ellas escribe sus memoriales y escrituras, las del campesino que dirigen el arado y usan el machete, las del obrero que utilizan el pico y la pala. Las manos son para trabajar. Las manos ociosas atraen pobreza. No solamente es necesario, sino importante, que se usen las manos para trabajar y prosperar.

En la Biblia encontramos que cuando Dios habló con el diablo le dijo: *—¿No te has fijado en mi siervo Job, que no hay otro como él en la tierra: un hombre íntegro y recto, temeroso de Dios y apartado del mal?* (Job 1:8).

Satanás respondió: *—¿Acaso no le has protegido a él, a su familia y* *a todo lo que tiene? El trabajo de sus manos has bendecido, y sus posesiones se han aumentado en la tierra.*

Aquí hay algo muy importante que debe tenerse en cuenta; le dijo: *El trabajo de sus manos has bendecido.* Yo no sé a qué se dedica usted. Tal vez trabaja en la construcción, en una imprenta, en una fábrica, tal vez trabaja en un taller de carpintería. Dondequiera que usted trabaje, si lo hace con diligencia y sin ociosidad, usted será una persona que va a recibir la bendición que Dios le da al trabajo de sus manos. La mano ociosa conduce a la pobreza, pero las manos ocupadas atraen riqueza.

Yo creo en el poder de la oración, creo en el poder de la fe, creo en el poder de Dios, pero creo que Dios no bendice a los haraganes. Dios bendice a los que trabajan y se esfuerzan. Si usted es un joven estudiante y desea tener éxito en sus estudios, trabaje. No venga al final del ciclo escolar a pedir oración, no se ponga en ayuno al final del año. Si usted no trabajó todo el año estudiando y cumpliendo con sus tareas, usted no obtendrá buenos resultados al final.

Proverbios 21:25 es muy oportuno en este caso: *El deseo del perezoso lo mata, porque sus manos rehúsan trabajar.* Todos deseamos cosas. Los jóvenes, sobre todo, desean muchas cosas materiales: una moto de agua, un automóvil nuevo y veloz, una avioneta, reloj y zapatos de determinadas marcas, muchos equipos electrónicos. Ellos anhelan mucho, pero lamentablemente algunos solo extienden la mano hacia su papá o hacia su mamá para que les den todo lo que piden. Y cuando los padres no tienen para darles todo lo que piden, y siguen codiciando y siendo perezosos, se exponen a graves problemas. La codicia del perezoso lo lleva a la muerte, porque por desear tener las cosas muy rápidamente se involucra con bandas de ladrones, de secuestradores, de vendedores de droga. Muy pronto llena sus bolsas con rollos de dinero, con los cuales compra los zapatos, los relojes y los autos que quiere. Pero eso solo lo expone a los peligros de la cárcel y de la muerte. Conocemos de muchos jóvenes que aparecen muertos, pues las mismas bandas se matan entre sí o se atacan unas a otras o si alguien se opone a darles sus bienes, entonces corren el peligro de que los maten. Son jóvenes codiciosos que buscan la muerte porque se niegan a trabajar.

Todos nosotros tenemos una historia que contar, y muchos de los que aquí nos encontramos podemos relatar nuestra propia historia. Quizá nacimos en hogares muy humildes, crecimos pobremente y con bastante sacrificio y esfuerzo trabajamos para estudiar y para vivir, y Dios nos ha bendecido y nos ha prosperado. Muchas veces cometemos el error de decir: "Yo no quiero que mi hijo sufra lo que yo sufrí"; "no quiero que ellos padezcan lo que yo padecí"; "quiero que mis hijos tengan todo lo que yo no tuve". Se nos olvida que cuando nosotros rompemos el cascarón del pollo, el pollo se muere. Hay que dejar que el pollo rompa su propio cascarón, que use su propio pico, sus propias fuerzas, porque eso es para su propio bien, pues le permite formarse físicamente para enfrentar su propia realidad.

En no pocas ocasiones caemos en el error de la sobreprotección de nuestros hijos. Como ahora tenemos abundancia de dinero les facilitamos la ropa, los juguetes, los vehículos, los viajes, los lujos, pero no logramos que nuestros hijos desarrollen el carácter necesario para vencer las dificultades de la vida. Pensamos que con dejarles una fortuna ya logramos resolverles su destino. Recordemos que no hay que preparar solamente el camino para los hijos, hay que preparar a los hijos para el camino. He conocido a personas que dejan una fortuna a sus hijos, y en un par de años, ya no existe. Otros más afortunados han logrado disfrutarla por unos años más, pero luego la pierden, porque no estaban preparados, no fueron capacitados para administrarla. Si usted es un millonario, con mayor razón tiene que enseñar a sus hijos a trabajar. Se les debe enseñar a trabajar desde chicos. Es posible que usted muchas veces se haya preguntado por qué fulano de tal, teniendo tanto dinero, tiene un hijo tan inútil. Porque probable (y equivocadamente), le facilitó todo, menos enseñarle a trabajar. Debemos aprender que el trabajo dignifica al hombre, que el trabajo hace honorable al hombre.

Hace algunos años, cuando mis hijos todavía eran menores de edad, les gustaba ocuparse en algo durante las vacaciones. Entonces los llevaba a trabajar conmigo en el templo, haciendo labores muy sencillas. Al fin del mes les pagaba —un salario mínimo—, pero les pagaba. De esta manera aprendieron a trabajar y cada período de vacaciones anticipaban la oportunidad de hacerlo.

Cuando finalizaron sus estudios en la escuela secundaria, se les dieron trabajos más formales, como enseñar inglés en el colegio. Después, cada uno buscó otro tipo de trabajo. Recuerdo que un día mi hijo mayor me dijo:

—Papá, ya no quiero trabajar como maestro de inglés, voy a vender pollo.

—Muy bien —le dije.

—Ya hablé con un amigo que trabaja en una empresa avícola para que me dé trabajo.

Y empezó a trabajar allí cuando tenía alrededor de 18 años de edad. Entraba a las cinco de la mañana. Sacaba los pollos de los cuartos fríos para luego colocarlos en canastas de plástico. Después estas se cargaban en los camiones que los llevaban a los supermercados, a los mercados y a las tiendas.

Llegaba y me contaba:

—Fíjate que por allá me encontré con la hermana fulana de tal, o al hermano fulano de tal.

Algunos hermanos llegaban a decirme: "Por allá me encontré a su hijo cargando pollo", insinuando que por qué lo tenía trabajando allí. Yo les aclaraba: "No soy yo el que lo tengo allí, es él quien desea estar trabajando en esa empresa".

Cuando llegó la temporada de Navidad salía de la casa a las cinco de la mañana y regresaba a las 11 o 12 de la noche. Estaba ganando su dinero y haciendo fuerza en la época en la que los muchachos quieren desarrollar músculos. Entonces tuve que orientarlo y decirle:

—Hijo, hablé con tu jefe y dice que ninguno de los que trabajan ahí se ha graduado de la universidad. Llegan a ser supervisores, venden mucho pollo, pero nadie se preocupa por estudiar. Si tú quieres seguir estudiando, cambia de trabajo.

No le dije: "deja de trabajar".

Cambió de trabajo y empezó a vender ropa en una de las principales tiendas de los chinos. Fue entonces que ya tuvo tiempo para estudiar en la universidad, y ganaba más. Es necesario que enseñemos a nuestros hijos a trabajar. Empiece con las cosas pequeñas de la casa. Enséñeles a planchar, a lavar, a cocinar. Aunque quizá algún día tengan quién se lo haga, es necesario que aprendan a hacerlo. ¿Por qué es necesario que ellos aprendan a trabajar? Porque el trabajo es necesario, de lo contrario tendremos gente que solamente codicia pero nunca trabaja, porque sus manos se niegan a trabajar.

Inclusive hay muchos jovencitos que aspiran servir al Señor.

—Hermano, aquí estoy.

—¿Qué estás haciendo? —le preguntamos.

—Pues nada.

—¿Cómo te estás sosteniendo?

—Estoy viviendo por fe, hermano —contesta.

Pero la Biblia enseña que la fe sin obras es muerta. Y si nosotros tenemos fe, tenemos que obrar; si tenemos fe, tenemos que actuar, tenemos que accionar y trabajar. El apóstol Pablo, un gran apóstol de la fe, aprendió a hacer tiendas de campaña, y a donde él iba ponía su empresa de tiendas de campaña. De esa manera él se sostenía a sí mismo y a su ministerio. Más que importante, es *necesario* trabajar para que podamos alcanzar todas las bendiciones del Señor.

Proverbios 21:5 dice: *Los proyectos del diligente resultarán en abundancia, pero todo apresurado va a parar en la escasez*. Así de sencillo, si queremos ganancia, pensémoslo bien. Si nos apresuramos, fracasaremos. Muchas veces queremos hacer las cosas de un día para otro pero como dice el adagio antiguo: "Roma no se construyó en un día". Es un proceso que toma primero pensamiento y luego planeación. Cuando usted planea bien las cosas, salen bien y logra ganancias; pero cuando se apresura y echa a andar un negocio determinado sin planificar, corre el peligro de fracasar y de tener problemas. Antes de comenzar un negocio, busque asesoría con los que ya lo tienen, con los que ya lo tuvieron, con los que saben.

La Biblia dice que en la multitud de consejos hay sabiduría. Nosotros debemos tener un poco de paciencia y averiguar; investigar. La Biblia dice: *conoceréis la verdad y la verdad os hará libres.* Pero a veces nos esclavizamos porque no conocemos esa verdad. Queremos poner un negocio de pan porque al vecino le está yendo muy bien, pero usted no sabe las penas que está pasando el panadero. Usted no sabe las deudas que tiene. Pregunte antes de iniciar algo, investigue bien.

Ayude a sus jovencitos y jovencitas cuando llegue el tiempo de que ellos escojan una carrera universitaria. Asegúrese de que no están siguiendo una carrera universitaria simplemente porque un amigo lo está haciendo, o porque tienen que estudiar algo. Ayúdelos a obtener la información necesaria para que puedan decidir cuál es la carrera que más les convenga, de acuerdo a sus talentos y capacidades.

Las causas de la negligencia

En Proverbios 18:9 leemos: *El que es negligente en su trabajo es hermano del destructor.* Cada persona debe ser diligente en su propio trabajo y en su propio quehacer. Imagínese, usted lleva su automóvil a un taller mecánico para que le revisen los frenos del vehículo. El mecánico quita las llantas, las revisa y luego las vuelve a colocar; pero por negligencia se le olvida poner un pequeño resorte que lleva el sistema de freno del vehículo. Usted confiadamente se lo entrega a su esposa. Lo más probable es que su esposa, por la negligencia de un mecánico, sufra un accidente fatal. Una pequeña negligencia de una persona puede causar gran destrucción.

El otro día me contaron la historia de una niña que llegó a un hospital con urgencia de una intervención quirúrgica en una pierna, pero el cirujano se equivocó y operó el otro miembro inferior. Fue una pequeña negligencia que causó gran destrucción. ¿Ha escuchado usted los casos de personas que son sometidas a cirugía pero que después de la misma sienten molestias internas porque le dejaron algún objeto por dentro?

Supe de un hombre que estuvo preso en la cárcel por veinte años solo porque el encargado de redactar la sentencia en un tribunal de los Estados Unidos de América, en vez de escribir *2* años, registró *20* años.

En una ocasión un barco empezó a llenarse de agua tan pronto como zarpó. Al investigar la razón del incidente se dieron cuenta de que tiempo atrás a una persona que trabajó en la base del barco se le había olvidado recoger el martillo que usó, dándolo por perdido. Ese martillo se bamboleó en ese mismo lugar por mucho tiempo hasta que gastó la base de la nave. El que es negligente en su trabajo es hermano del destructor.

Es importante que nuestro trabajo sea hecho con cuidado, que no seamos negligentes ni perezosos. Lo que se tiene que hacer debe hacerse con diligencia, bien hecho y con excelencia y el Señor lo prosperará. Sí, Dios prospera al que diezma, al que ofrenda. Sí, Dios prospera al que obedece sus mandamientos y que trabaja, que produce. Si no trabaja, no produce y no tiene con qué diezmar, con qué ofrendar. Es importante que seamos buenos trabajadores.

Demos gracias a Dios porque nos ha dado un trabajo, un oficio, una profesión, una empresa, una fuente de riqueza. Él nos ha prosperado. Nos ha sacado de la necesidad y nos ha coronado de misericordia y favores. Pidamos al Señor que nos ayude a realizar bien nuestro trabajo y que lo hagamos con diligencia y con cuidado, para que prosperen nuestros caminos y nuestras familias.

Capítulo 6

Integridad por dentro y por fuera

Salarios, impuestos y sobornos

Sabemos que la voluntad de Dios es que seamos prosperados, pero también sabemos que las promesas de Dios son condicionales. Si no llenamos los requisitos, no se cumplen las promesas que el Señor tiene para nuestra vida. Es el deseo de Dios que seamos prosperados en todo, pero a cambio nos pide que meditemos en la ley de Jehová de día y de noche, pues solo así seremos *como un árbol plantado junto a corrientes de aguas que da fruto a su tiempo y su hoja no cae. Todo lo que hace prosperará* (Salmo 1:3).

Si no meditamos en la Palabra del Señor, ni la practicamos, no podremos ser prosperados. Hasta el momento, en este recorrido, hemos expuesto lecciones fundamentales para la prosperidad total de nuestra vida. La redención del Señor es integral, abarca alma, espíritu y cuerpo. Asímismo, nuestro compromiso con Dios es total:

espíritu, alma y cuerpo. Entre los conceptos bíblicos que hemos considerado en estas páginas está, en primer lugar, buscar a Dios; en segundo lugar, creer a Dios y guardar sus mandamientos. El tercer aspecto es honrar a Dios con nuestros bienes. Cada vez que traemos los diezmos y las ofrendas para el pobre, para la construcción del templo o para la obra del Señor estamos honrando a Dios con nuestros bienes. En cuarto lugar, ayudar al pobre. Esa es nuestra responsabilidad como cristianos. El quinto concepto que incluimos en esta fórmula fue trabajar, pero hacerlo con diligencia. Eso es lo que hace la diferencia.

Ser honestos en todos nuestros asuntos

¡Todos tenemos que ser honestos! Este es un tema en el que nuestro Padre que está en los cielos nos habla a nosotros sus hijos con amor, pero con autoridad. Así que con esa autoridad de Dios, vamos a leer en su Palabra lo que él nos aconseja.

En la segunda carta que escribió Pablo a los Corintios 8:21 dice: *Porque procuramos que las cosas sean honestas, no solo delante del Señor, sino también delante de los hombres.* Dios espera que seamos como él es, por eso nos dice que tenemos que ser santos como él es santo. Nosotros tenemos que ser honestos en todo lo que hacemos, por eso dice Pablo que *procuramos que las cosas sean honestas, no solo delante del Señor, sino también delante de los hombres.* Honestos el domingo en la iglesia, honestos de lunes a sábado en los talleres, clínicas, bufetes, colegios, universidades, oficinas públicas o privadas. En todos estos lugares nosotros tenemos que ser honestos delante de Dios y delante de los demás.

Así que el primer aspecto de nuestra honestidad se mide

en el pago de los impuestos. La Biblia dice en Romanos 13:7 que nosotros como cristianos tenemos la responsabilidad de pagar a cada uno lo que le corresponde. *Paguen a todos lo que deben: al que tributo, tributo; al que impuesto, impuesto; al que respeto, respeto; al que honra, honra.*

El ser humano por naturaleza se rehúsa pagar lo que debe. Le cuesta pagar. Todavía no he encontrado a alguien que reciba la factura de la energía eléctrica con alegría y diga: "¡Aleluya! ¡Miren todo lo que tengo que pagar! ¡Qué bueno!" Nadie se alegra cuando le cobran, aunque sabe que cada mes tiene que pagar el alquiler. Cuando llega el cobro, lo paga porque no le queda más remedio pero no lo hace con gusto. Muchos todavía no se han acostumbrado a dar con alegría el dinero que su esposa necesita para los gastos del hogar y la familia.

La mayoría de los esposos lo dan con dolor del corazón. Es muy humano rehusar pagar, aunque tengamos que hacerlo y así cumplir con nuestros compromisos.

La Biblia dice claramente: *Paguen a todos lo que deben: al que tributo, tributo.* Podrá justificar no pagar lo que debe pagar, pensando que de todas maneras se lo van a robar. Sin embargo, ese no es problema suyo. Además, debe considerar que no todos los impuestos son desviados. Algunos se convierten en salarios, otros en la construcción de carreteras, en mejorar la comunidad, en educación, en salud, en medicina, hospitales, centros de salud. Muchos de nuestros impuestos sí se usan para el bien de la misma sociedad.

El problema existe y está latente porque siempre hay peligro de que alguien desvíe los millones que se le asignan para su presupuesto y los use para engrosar su cuenta personal. Lamentablemente ese es un mal que siempre ha existido y creo que seguirá existiendo hasta que Jesucristo venga a establecer su reino aquí en la tierra. Mientras tanto, nuestro deber como cristianos es pagar los impuestos. Por algo llevan ese nombre. Es una *imposición* y no se le pregunta si usted quiere hacerlo o no. Aquí en nuestro país se paga impuestos, quiera o no, cada vez que se viaja por avión. Usted felizmente llega al aeropuerto con toda la familia, quizás son seis o siete, y se enfrenta con la triste realidad de que tiene que pagar 30 dólares de impuestos de salida por cada uno. ¡Está hablando de pagar hasta 210 dólares adicionales al costo del viaje! Yo sé que es pesado pagar esos 210 dólares. Es más, cuando viene de regreso, especialmente si viene de los Estados Unidos de América, le cobrarán cuarenta dólares por cada uno. ¡A nadie le gusta tener que pagar esos impuestos! Sin embargo, la Biblia nos enseña que debemos hacerlo.

Jesús nos dio una visión 20-20 con respecto al pago de los impuestos. *Entonces, acechándole, enviaron espías que simularan ser justos a fin de sorprenderlo en sus palabras, y así entregarlo al poder y autoridad del procurador. Estos le preguntaron diciendo:*

—Maestro, sabemos que dices y enseñas bien, y que no haces distinción entre personas sino que enseñas el camino de Dios con verdad. ¿Nos es lícito dar tributo al César o no? (Lucas 20:20-22).

Jesús no dijo lo que usted y yo hubiéramos querido que dijera. Si Jesús hubiera dicho que no se pagaran los impuestos, nosotros no pagaríamos ni un centavo, aunque nos metieran a la cárcel por no pagar. *Pero él, entendiendo la astucia de ellos, les dijo:*

—Muéstrenme una moneda romana. ¿De quién es la imagen y la inscripción que tiene?

Y ellos dijeron:

—Del César.

Entonces les dijo:

—Pues den al César lo que es del César y a Dios lo que es de Dios (Lucas 20:23-25).

Cada vez que un conquistador tomaba posesión de la tierra, una de las primeras cosas que hacía era acuñar su propia moneda con el nombre del reino y la efigie de él, y cualquiera que quisiera vivir en ese territorio tenía que tributar al reino representado por el césar. Si usted se traslada a los Estados Unidos de América y quiere disfrutar de sus beneficios, tiene que adquirir los compromisos de ese país. Tiene que pagar los impuestos sobre la renta. El sistema está tan bien organizado, tan bien desarrollado, que hasta Al Capone fue a parar a la cárcel por no pagar los impuestos. No lo aprehendieron por ningún otro delito sino por no pagar los impuestos. También en Guatemala o en cualquier otro país, si usted quiere vivir allí, no tiene otro remedio que pagar sus impuestos. Hoy las leyes han contemplado la cárcel por evasión de impuestos. Hay cierto peligro si usted se resiste a pagarlos.

El ejemplo de responsabilidad de nuestro Señor Jesucristo fue darnos el principio: pagar los impuestos. Claro, si usted comprueba que le están cobrando más de lo debido, usted puede reclamar, puede solicitar rebajas, puede solicitar exenciones, exoneraciones, y todo lo que esté dentro del marco jurídico legal de su país; pero de lo contrario, no le queda más que pagar sus impuestos.

Ser honesto en los asuntos personales

El segundo elemento de este punto es ser honestos. Una empresa estadounidense de renombre internacional que figuraba entre las diez primeras empresas de mayor éxito en el mundo, (calificación dada por las prestigiadas revistas *Fortune* y *Forbes*), llegó al punto de quiebra y dio paso a uno de los casos más sonados en el mundo. Parte del problema fue el incumplimiento de sus deberes para con el fisco, y otros elementos que incidieron para producir la bancarrota de una empresa multimillonaria tan grande. Igualmente los pequeños negocios, si no cumplen con las leyes de su país, corren el mismo riesgo. Esto sucede porque no se aplican los principios bíblicos correctos para la administración de los negocios. Como punto concluyente, si no controlamos bien el tema impositivo y el tema administrativo nos podemos venir en picada empresarial y comercial y aún en lo personal. Cada persona tiene su compromiso con Dios: pagar diezmos y ofrendas; y con el estado donde vive: los impuestos. No tiene otra opción.

Así que, no ponga su fe en la empresa en la que trabaja; ponga su fe en el Dios que le dio el trabajo en ese lugar. Dios es eterno y siempre le va a proveer para todas sus necesidades. Y si usted cumple con sus responsabilidades ciudadanas en el reino de Dios y en el país donde está, el Señor lo bendecirá.

Pague a tiempo a sus empleados

Espero que a usted no le haya tocado la triste experiencia de trabajar para una empresa, una organización o una persona que, al llegar el día de pago, no le entrega su salario. Es bastante incómodo sufrir el retraso de la cancelación del salario. Este incumplimiento a un principio bíblico y legal provoca en el empleado una serie de problemas, tales como no poder pagar el colegio de sus hijos; no poder cubrir el pago del servicio de energía eléctrica, de agua, de teléfono; o, peor aún, no poder comprar alimentos para su familia.

Toda empresa tiene el compromiso, si tiene empleados, de pagarles su salario a tiempo. Y cuando hablamos de empresa, tendemos a imaginamos al patrón que tiene una maquiladora con diez mil empleados, al estado que tiene un presupuesto enorme con miles de maestros o miles de soldados, o miles de burócratas. Pero usted, en su propia casa, también tiene la responsabilidad de pagar a tiempo a sus empleados. Si contrata a un jardinero para que le arregle el jardín, le corte el césped, le cuide las flores, y han acordado cuánto va a ganar él en el día, al final usted tiene la responsabilidad de pagarle lo convenido. De otro modo, puede imaginarse el dolor que usted le causará a esa persona, y usted mismo estará cayendo en la irresponsabilidad de aquellos que no pagan a tiempo a sus empleados. Si usted contrata al jardinero para que le cuide el jardín, páguele. No venga al final del día a decirle: "Fíjese que no tengo dinero, le pago el otro mes".

Si ese fuera el caso, debió decírselo antes. Decirle con absoluta franqueza: "Necesito que me arregle el jardín, pero no tengo dinero para pagarle hoy sino hasta el fin de semana, o al final del mes". No importa cuándo, siempre que sea con la anuencia de la persona, pero al final de la fecha pactada usted debe cumplir con su responsabilidad. ¡Páguele!

La persona encargada de los oficios domésticos de su casa ha sido contratada para realizar el trabajo todos los días. En muchos países la llaman criada, muchacha, asesora del hogar, etc. No importa cómo la llaman, usted tiene la responsabilidad de pagarle, aunque no tenga dinero. Su compromiso fue hacerlo en una fecha determinada y tiene que atenderlo a tiempo y prevenirlo en su presupuesto. Asimismo, no debe pagarle menos que el salario mínimo fijado en la ley laboral, además de las vacaciones, el aguinaldo y otros bonos establecidos por las leyes laborales de su país. Si no ha pagado, ya entró en corrupción. Debe atender a todos los compromisos, inclusive la indemnización económica si la persona renuncia o usted la despide.

Hace algunos años tuvimos que despedir a Cande, una dama que estuvo trabajando 14 años con nosotros. El día que la despedimos y se le pagó su indemnización, ella tenía más dinero que yo en el banco. Se fue con miles de quetzales. Cada vez que Cande puede venir de su pueblo a la capital nos llama por teléfono o nos visita y nos lleva una gallinita o algo de pan. ¿Por qué? Porque ella recibió un trato justo. Cada uno de nosotros tenemos la responsabilidad de pagarles a nuestros empleados a tiempo y pagarles las prestaciones que les corresponden.

El apóstol Santiago escribió en su carta una recomendación importante para nosotros: *He aquí clama el jornal de los obreros que segaron sus campos, el que fraudulentamente ha sido retenido por ustedes. Y los clamores de los que segaron han llegado a los oídos del Señor de los Ejércitos. Han vivido en placeres sobre la tierra y han sido disolutos. Han engordado su corazón en el día de matanza. Han condenado y han dado muerte al justo. Él no les ofrece resistencia* (Santiago 5:4-6).

Es responsabilidad pagar a nuestros empleados lo que les corresponde. Si no lo hacemos él simplemente doblará sus rodillas y dirá: "Padre nuestro que estás en los cielos, mira a ese servidor tuyo que dice ser cristiano, pero no me paga; es anciano y no me paga; maestro de la Escuela Dominical y no me paga. Mira, Señor, a ese hermano, a esa hermana, ¡qué bonito cantan!, pero no me pagan. Parece ser tan buen cristiano, pero no me paga. Cómo predica bonito, pero no me paga". Nos exponemos a que el obrero clame ante Dios y créame, Dios va a salir en defensa de ese trabajador, en defensa de esa trabajadora. Entonces vamos a sentirnos tristes porque el Señor es un juez justo y nos ama, pero con el amor que nos tiene también nos disciplina, como un padre disciplina a sus hijos.

Si queremos prosperar seamos cumplidos en nuestros asuntos, paguemos los impuestos quc tenemos que pagar, paguemos a tiempo a nuestros empleados y no paguemos sobornos. "Las mordidas" le llaman al soborno en Guatemala, en México, en El Salvador y en otros países. Pero todos conocemos el significado de la palabra "soborno" como dar o recibir "mordida". Se necesitan dos; uno que da y uno que recibe. ¿Quién peca más, el que peca por la paga o el que paga por pecar?

A veces nosotros condenamos al que peca por la paga, al que recibe el soborno, pero igual condenación es el que le paga para que "le hagan el favor", para que le abran las puertas o le concedan lo que pide.

¿Qué dice la Biblia respecto a estos hechos de corrupción? Podemos leer en Deuteronomio 16:19: *No tuerzas el derecho; no hagas distinción de personas ni aceptes soborno, porque el soborno ciega los ojos de los sabios y pervierte las palabras de los justos.* Cuando a una persona le dan una "mordida" y está en posición de autoridad como juez o cualquier otra autoridad, en ese momento se le nublan los ojos y no mira bien. Se hace el ciego, se hace el desentendido y deja pasar, deja de hacer y no interviene o actúa, porque está siendo sobornado. Por eso la Biblia dice claramente que no se debe aceptar soborno, pues el soborno ciega los ojos del sabio y pervierte las palabras del justo.

Una vez que la persona recibe el soborno, se ve comprometida a hacer algo aún en contra de lo que dice la ley. Deuteronomio 27:25 expresa: *Maldito el que acepte soborno para matar a un inocente.* Para Dios el soborno es tan aborrecible que inclusive emite maldición sobre aquel que lo recibe para matar al inocente. Lamentablemente, en los tribunales se estila mucho el arreglar las cosas con dinero, pero el juez, el funcionario, aquella persona que admite recibir soborno para condenar a muerte a un inocente, se está ganando la maldición de Dios. Después se pregunta: "¿Por qué resulté gravemente enfermo?". "¿Por qué me está pasando esto?". "¿Por qué me dejó mi mujer?". "¿Por qué me pasó esto otro?". Pues precisamente porque está bajo maldición. Si usted quiere estar bajo maldición, reciba soborno, dé soborno. Si se quiere salvar de la maldición, no reciba soborno, no dé soborno.

Veamos en el libro de Job 15:34: *Porque la compañía de los impíos es estéril, y el fuego consumirá las moradas del soborno.* El juicio de Dios cae sobre aquellas familias que reciben soborno. Recuerdo el testimonio que me relató un querido amigo que se convirtió al Señor aquí en la congregación. Vino en calidad de ebrio consuetudinario, abandonado, con el hogar destruido; pero Dios lo transformó y hoy es un empresario exitoso. Pero antes de venir al templo, él estuvo en un puesto público donde recibía tantos sobornos que sumaban miles, pero miles de pesos cada día. Pero asímismo se los gastaba en parrandas y borracheras. Los miles que recibió, esos miles malgastó, consiguiendo al mismo tiempo destruir a su familia y destruirse a sí mismo. Además, tuvo accidentes de tránsito que le causaron graves consecuencias. Pero Dios lo sacó del hoyo. Lo rescató, y lo ha bendecido y colocado en una situación extraordinaria. Yo le puedo asegurar que cuando repetimos el refrán "lo que es del agua, el agua se lo lleva", así es. Cuando una persona recibe dinero como soborno, ese dinero será maldito y la persona quedará bajo maldición. Al final va a perder lo que no puede comprar con dinero, debido al dinero mal habido. Proverbios 15:27 dice: *El que tiene ganancias injustas perturba su casa, pero el que aborrece el soborno vivirá.* Si usted quiere traer mal sobre su familia, déjese llevar por la ambición y caiga en este estilo de vida aparentemente fácil, pingüe y próspero de recibir o dar soborno. Leemos en Proverbios 17:8: *Piedra de encanto es el soborno a los ojos del que lo practica; dondequiera se dirija tiene éxito.* Hay personas que creen que por el dinero que tienen todo lo van a lograr y hasta lo dicen en una forma cínica y descarada: "cualquier cosa se consigue con dinero". Pero también está consiguiendo mal para su familia, también está consiguiendo maldición para su vida, también está consiguiendo el juicio de Dios: *El impío toma soborno de su seno para pervertir las sendas del derecho* (Proverbios 17:23). Salmo 15:1, 5 nos advierte de lo que uno pierde por andar en este camino: *¿Oh SEÑOR, ¿quién habitará en tu tabernáculo? Aquel que no presta dinero con usura ni contra el inocente acepta soborno.* Este es el que puede habitar en el santuario de Dios.

Tampoco nos extrañemos cuando Dios no nos conteste las oraciones, cuando no tengamos paz en el hogar, cuando nuestros hijos no sean rectos, cuando no tengamos vida. Es porque hemos dado lugar a la maldición que viene a través del soborno.

No robe ni engañe al comprador

Este es otro elemento más para prosperar bíblicamente hablando. Estamos hablando de ser honestos en todos nuestros asuntos personales. Si usted es una persona que comercia, que produce, que trabaja en la industria, que vende y compra; por favor, no robe y no engañe al comprador. Es muy molesto cuando se nos vende un producto que dicen es de cierta calidad y resulta todo lo contrario. Hemos aprendido que no todo lo que brilla es oro. Por ejemplo, habrá ocasiones en que comprará un suéter porque, según la publicidad, es de la mejor calidad y, por supuesto, no corre el peligro de encoger. Sin embargo, después de la primera lavada, se lleva la sorpresa de que al único que le quedará el suéter es al perrito Chihuahua que tiene en casa.

No debemos engañar al comprador. En el libro de Miqueas 6:11-13 encontramos una advertencia acerca de lo que nos puede ocurrir cuando no guardamos la Palabra de Dios: *¿He de justificar las balanzas de impiedad y la bolsa de pesas fraudulentas, con las cuales sus ricos se han llenado de explotación? Sus habitantes han hablado mentiras, y su lengua es engañosa en su boca. Pues yo también he comenzado a golpearte y a arruinarte por tus pecados.* Para el Señor, según Miqueas 6 (lea todo el capítulo) es justo que tome venganza por engañar al comprador. Si usted vende un kilo de azúcar, que sea un kilo de mil gramos de azúcar, no un kilo de 950 gramos. Todos los kilos son de mil gramos y a un kilo que no pese esa cantidad sencillamente no se le puede llamar kilo. Una libra que no pesa 16 onzas no es una libra, un metro que no mide cien centímetros no es un metro. Es importante que nosotros demos medidas correctas. Debemos ser honestos.

En el pasado me ha tocado vender vehículos, y recuerdo que

en una ocasión vendimos uno de los coches de la iglesia. Era un microbús que ya estaba muy deteriorado, pues había estado en constante uso por varios años y el motor necesitaba ser reparado. Llamé al vendedor de carros y le dije:

—Dígale a quien lo compre que el motor ya no sirve, hay que restaurarlo, hay que acondicionarlo, hay que cambiarlo todo.

Se fijó el precio de acuerdo con el estado del vehículo y la realidad del mercado. En una semana se había vendido el pequeño autobús. ¿Por qué? Porque se había vendido con honestidad. Si usted le miente a la gente y le dice que no le dará problemas, que está en buenas condiciones, y luego todavía le agrega otra faceta al engaño: "era de una viejita que iba de su casa a la iglesia y de la iglesia a su casa", se lo comprarán, lo pagarán como nuevo, y cuando el vehículo ya no funcione, usted quedará marcado como un mentiroso y engañador.

Seamos honestos en nuestros negocios. Dios nos va a prosperar si nosotros somos verdaderamente honestos en todo lo que hacemos. Las pesas falsas, las medidas falsas y alteradas no son del agrado del Señor. En el libro de Proverbios 20:23 repite el Señor este principio de honestidad; dice: *Las pesas falsas son una abominación al SEÑOR; y la balanza de engaño no es algo bueno.*

Recuerdo que hace muchos años conocí a un joven de la iglesia que vendía telas en el mercado. Un día vi cómo vendía las telas y le pregunté por qué hacía un movimiento raro cuando medía. Me contestó:

—Ahorro cinco centímetros cada vez que vendo un metro.

—Hermano, así no debe hacerse —le dije.

—Es que si no lo hacemos así, salimos perdiendo.

—¡Eso es robar! —lo amonesté.

Es elemental que nosotros seamos justos y honestos, porque el Señor aborrece las pesas falsas y reprueba el uso de medidas engañosas. Si usted es una persona que comercia y sabe los tiempos de la cosecha y de la escasez, sea prudente y tenga su producto para vender, pero no caiga en el error de ser acaparador.

Leamos lo que dice Proverbios 11:24-26: *Hay quienes reparten y les es añadido más; y hay quienes retienen indebidamente solo para acabar en escasez. La persona generosa será prosperada y el que sacia a otros también será saciado. Al que acapara el grano, el pueblo lo maldecirá; pero la bendición caerá sobre la cabeza del que distribuye.*

Permítame compartir una cita más, la cual va con dedicatoria a todos los gobernantes del mundo que nos puedan conocer, y por supuesto, con especial cariño, a los gobernantes que apreciamos tanto de nuestro país. Siempre debemos orar por los que están en eminencia. *Tus magistrados son rebeldes y compañeros de ladrones; cada uno ama el soborno y va tras las recompensas. No defienden al huérfano ni llega a ellos la causa de la viuda. Por tanto, dice Dios, el SEÑOR de los Ejércitos, el Fuerte de Israel: "¡Ah! Tomaré satisfacción de mis adversarios y me vengaré de mis enemigos"* (Isaías 1:23, 24). Un gobernante puede convertirse en un enemigo de Dios cuando es un gobernante injusto que no vela por el más necesitado, que no vela por el huérfano, que no vela por la viuda y que no vela por el miserable. Sus cómplices son ladrones, y ellos se hacen de la vista ciega para no darse cuenta de lo que están haciendo en el gobierno con los dineros del estado. Dios nos llama a todos a ser honestos, cada uno en nuestra propia empresa, en nuestro propio hogar, en nuestro propio oficio. Si Dios lo ha puesto a usted en un puesto público, recuerde que usted es un servidor público y debe servir, porque todos debemos dar cuentas a Dios nuestro Señor. Los que gobiernan pasan. Se va uno y viene otro, y no sería irrazonable pensar que de pronto usted llegara a ocupar uno de esos puestos. Usted necesita que el Señor le indique claramente en su corazón la responsabilidad de ser honesto.

Este tema de la honestidad en los negocios, que algunas veces nos causa risa, nos debería causar tristeza, pues estamos quebrantando la voluntad de Dios. Estamos violando la ley de Dios. Estamos desagradando a Dios nuestro Señor.

Cada vez que nosotros no le pagamos el salario a un trabajador, cada vez que no pagamos un impuesto que debemos pagar, cada vez que nosotros damos soborno, que recibimos soborno, estamos trayendo maldición a nuestra nación. Por eso hay países hoy en día que están pasando serias crisis. Hay países que están sufriendo una calamidad tras otra, y el nuestro no está fuera de esta realidad.

Capítulo 7

Cómo evitar caer en deudas

¡Caras vemos,

deudas no sabemos!

Hay matrimonios que pueden decir con propiedad: "hasta que las deudas nos separen". El tema de las deudas es un tema prolijo e interesante, tan importante que la Biblia nos habla claramente al respecto en el libro de los Proverbios. *El rico domina a los pobres, y el que toma prestado es esclavo del que presta* (22:7). Cuando se es un deudor también se es un esclavo del acreedor. De esta verdad bíblica se deriva que si realmente una persona quiere ser libre debe estar igualmente libre de deudas. Jesús dijo: *conocerán la verdad, y la verdad les hará libres...* (Juan 8:32). Yo agrego: "de deudas también".

Una persona que está endeudada aún no experimenta la libertad en Cristo Jesús. Dice Proverbios 22:6: *Instruye al niño en su camino; y aun cuando sea viejo no se apartará de él.* Tenemos que enseñar a nuestros hijos con preceptos y con ejemplo que no deben endeudarse. La meta tiene que ser la libertad absoluta en la vida de las personas; esto incluye las deudas que solamente traen sacrificios, pérdida de gozo y esclavitud.

Un elemento clave en las fórmulas bíblicas para prosperar es la manera de evitar el endeudarse

Esa tiene que ser la filosofía de nuestra vida, tiene que ser un compromiso con Dios nuestro Señor. Podemos exponerlo como una manera práctica para evitar endeudarnos. Pero nuestra responsabilidad no solo debe girar en torno a la necesidad de alcanzar esa libertad, sino también ser responsables por educar a nuestros hijos, desde pequeños, para que no adquieran la cultura de la deuda, pues la misma crea una dimensión de temor al futuro. Toda persona endeudada vive atemorizada del futuro. El temor le invade, pensando que cualquier día perderá su vivienda, perderá su negocio, perderá su finca, su terreno, su automóvil, todo.

La persona que evita endeudarse duerme tranquila, duerme en paz y trabaja produciendo. La clave para prosperar en la vida es no contraer deudas.

Un cáncer que destruye matrimonios

He conocido a matrimonios que han llegado a resentirse, amargarse, agriarse y hasta a divorciarse por las deudas. Es peligroso endeudarse, pues la deuda puede producir un estado de constante preocupación, de zozobra, de inseguridad. Jesucristo nos enseñó a no preocuparnos por el día de mañana, a no estar angustiados por lo que vamos a comer, a vestir, o dónde vamos a vivir. La preocupación es destructiva, produce estrés. Y el estrés produce irritabilidad, produce enfermedades. La gente ya no vive en paz por causa de las deudas.

La deuda crea una cárcel sin barrotes. Cuando usted se endeuda está preso, no puede ir a ningún lugar. A veces causa que quede arraigado en su propia casa o país, pues ni siquiera puede viajar. Debe entenderse que la deuda no lo llevará al infierno, pero vivirá en un infierno aquí en la tierra. Por otra parte, debemos seguir el consejo bíblico para evitar a toda costa la deuda y así poder vivir en paz, tener una vida en abundancia y un hogar tranquilo. Podríamos plantear la propuesta de que evitar el endeudamiento es una obligación de toda persona, principalmente si es cristiano. Es un compromiso muy grande.

¿Por qué nos endeudamos? Lucas nos da el consejo de Jesús. Es la advertencia clara y la explicación honesta de Jesús del porqué nos endeudamos. *¡Tengan cuidado! —advirtió a la gente—. Absténganse de toda avaricia; la vida de una persona no depende de la abundancia de sus bienes* (12:15 NVI). La palabra "avaricia" que menciona Jesús aquí nos enseña que hay un verdadero peligro. La mayoría nos endeudamos por ser avaros. ¿Qué es la avaricia? El diccionario de la lengua española dice que la "avaricia es el afán desordenado de poseer y adquirir riquezas para atesorarlas". Ya lo dijo Pablo: *Porque los que desean enriquecerse caen en tentación y trampa, y en muchas pasiones insensatas y dañinas que hunden a los hombres en ruina y perdición. Porque el amor al dinero es raíz de todos los males* (1 Timoteo 6:9, 10a).

El dinero no es malo; es el amor al dinero. Tener riquezas no es malo, es malo el amor a esas riquezas. La avaricia es mala porque es el afán inmoderado de poseer riquezas. Todos tenemos que ambicionar, que desear, pero sin caer en avaricia.

¿Está Dios en contra de que usted tenga ropa y que sea buena? No. ¿Está Dios en contra de que usted coma y coma bien? No. ¿Está Dios en contra de que usted viva y viva bien? No. Ya lo dijo Jesús en Mateo 6:31: *"Por tanto, no se afanen diciendo: '¿Qué comeremos?' o '¿Qué beberemos?' o '¿Con qué nos cubriremos?'... su Padre que está en los cielos sabe que tienen necesidad de todas estas cosas"*. Pero si nosotros caemos en la avaricia, en el afán inmoderado de poseer riquezas, entonces corremos el peligro de endeudarnos. Ese es el punto que tenemos que cuidar.

Entonces, usted puede preguntar: "¿No debo comprar una casa a plazos?". Si usted la puede pagar, cómprela, siempre y cuando los intereses no sean tan variables que lo dejen en la calle y le pase como en algunos países, que en épocas de devaluación, muchos tienen que devolver sus casas porque les sale más barato pagar renta que pagar los intereses al banco.

Un minuto para comprar, una vida entera para pagar. Tenga cuidado. El afán inmoderado de poseer riquezas es lo que nos lleva al endeudamiento. Jesús dijo que la vida de una persona no depende de la abundancia de sus bienes. La vida de una persona depende de Dios. No va a vivir usted más que otros simplemente porque usted tiene cien casas y otros solo una. Recuerde, usted solamente puede comer una cosa a la vez. Usted no puede llevar en el brazo una docena de relojes porque tiene todas las marcas habidas y por haber. No se puede. Usted solo usa uno, a menos que se dedique a vender relojes.

Pero a veces el deseo inmoderado de tener más nos hace endeudarnos más. Este deseo lo induce a irse de compras, pero las hace con sus tarjetas de crédito y, después, si usted no las paga a tiempo, pagará hasta 130 por ciento de intereses anuales. Veamos el mismo concepto desde otro ángulo. ¿Cuánto le paga a usted un banco por tener su dinero? ¡Uno o dos por ciento! Sin embargo, usted está pagando 10 o 12 por ciento mensualmente. Así que, no se endeude con las tarjetas de crédito. Hay que tener mucho cuidado.

La avaricia es la razón que lo induce a endeudarse con las tarjetas de crédito; el deseo inmoderado de poseer riquezas. *La vida del hombre no consiste en la abundancia de bienes que posee.* Y cuando usted debe ¿qué tiene que hacer? ¡Pagar! Es muy fácil endeudarse. Es muy difícil pagar. En Romanos 13:8 el apóstol Pablo dice claramente: *No deban a nadie nada salvo el amarse unos a otros.*

Si usted lleva a sus hijos a una buena escuela privada donde aprenderán computación e inglés, ¿qué tiene que hacer cada mes? ¡Pagar! Si usted quiere vivir en una casa muy linda, en un barrio o una colonia residencial muy bonita y de mucho prestigio, ¿qué tiene que hacer a final de mes? ¡Pagar!

Créame, todo lo que se compra se paga. Aunque le den seis meses sin intereses, aunque le empiecen a cobrar dentro de cinco o seis meses, llegará el día en el que usted tendrá que pagar. Y como cristianos debemos aplicar el consejo: *no tengan deudas pendientes con nadie ni con sus empleados ni con sus patrones.*

Me impresionó hace muchos años cuando leí por primera vez la historia de Samuel. Llegó al final de su vida, se puso frente a Israel y dijo más o menos algo así: "Si hay alguno aquí a quien yo le haya robado algo, lo haya defraudado, o le haya pedido prestado y no le haya pagado, por favor levante la mano" (1 Samuel 12:3).

Nadie en todo Israel pudo decir que a Samuel lo acusaba de robarles, de defraudarles o de deberles. Aquí hay un mensaje para mis colegas pastores y predicadores del mundo. No pidan dinero prestado a los miembros de su iglesia.

Si algo destruye la autoridad espiritual de un siervo de Dios es endeudarse con los miembros de la iglesia. Sí, hay hermanos que pueden hacerle el favor de prestarle el dinero que les pida porque le tienen cariño. Pero usted puede tener problemas para pagar y entonces usted va a tener problemas para hablar con autoridad.

Yo puedo asegurarle que después de 23 años de pastorear la misma iglesia, no le debo ni un centavo a nadie, porque no he pedido prestado a nadie. Por eso puedo hablar con autoridad. Me ha dado tristeza cuando algunos predicadores invitados empiezan a ver las ovejas lanudas, gorditas y bonitas, y se acercan a ellas para ver cómo les "sacan algo". ¡Ah! ¡Qué tristeza! Nuestra fuente no es la gente, nuestra fuente es Dios nuestro Señor. Él es el que nos provee, y nos provee abundantemente.

Cuídese, evite las deudas, porque cuando nos endeudamos tenemos que pagar. Si usted tiene tarjetas de crédito porque viaja y las usa para hacer reservaciones de hoteles, alquilar autos y otras muchas cosas, pero no las paga cuando debe hacerlo, entonces tendrá que pagar hasta el 130 por ciento en recargos al año. Y eso no es bueno, no es rentable. Si usted no logra manejar bien sus tarjetas, le sugiero que se haga la cirugía plástica. No para cambiarse la cara, sino para cortar la tarjeta plástica con unas tijeras y dejar de usarla. Si usted no la puede pagar, no la use. Devuélvala. Hoy en día fácilmente le mandan una, dos o tres, al punto de que algunos han adquirido hasta 20 tarjetas de crédito. Imagínese usted, 20 cuotas anuales solo de membresía. ¡Cuánto dinero desperdiciado! Y después se extraña de que no tiene dinero. ¿Y cómo lo va a tener?, si todo lo deposita con las empresas que le financian el dinero. Tenga cuidado, porque entonces puede caer usted en lo que Pablo hace alusión en 1 Timoteo 5:8: *Si alguien no tiene cuidado de los suyos, y especialmente de los de su casa, ha negado la fe y es peor que un incrédulo.* ¿Hay alguien peor que un incrédulo? Sí, un creyente que no sostiene bien a su familia, que no paga la comida de sus hijos, que no paga los estudios de sus hijos, que no paga las visitas al salón de belleza de su mujer.

Todo aquel que no cumple con sostener a su familia es una persona que ha negado la fe. ¡Es peor que un incrédulo! Eso dice la Biblia. Así que, si usted se está haciendo el desentendido y no sostiene a su familia, está negando la fe. Usted está actuando peor que un incrédulo. Lamentablemente hay algunos que ya no pueden hacerlo, ¿por qué? Porque están hundidos en deudas y son perseguidos constantemente por las empresas de las distintas tarjetas de crédito.

El problema de la mayoría de los gobiernos en el mundo es exactamente esto. Piden préstamos. Se endeudan, gastan más de lo que reciben y no pueden pagar ni los intereses.

A muchos les está pasando lo mismo. Han pedido un préstamo en un banco, en otro y en otro, y el peor préstamo es el de su tarjeta de crédito porque es el que cobra más intereses.

Tenemos que aprender el principio elemental de la vida: nunca gastar más de lo que ganamos. Anótelo en su hoja de apuntes importantes. Esta es una premisa que debe aprender y enseñar a sus hijos: **nunca gastar más de lo que gana**.

Cuando usted gana 500 y gasta 501 ya anda mal. Si usted gana mil y gasta mil uno, ya anda mal. Si usted gana diez mil y gasta diez mil uno, está mal. Si usted gana un millón y gasta un millón uno, anda mal. Existen personas que hacen negocios en los que obtienen millones de pesos; pero, por otro lado, son más los millones que gastan y siempre están endeudadas.

En cambio, hay otros que hemos aprendido la lección y no gastamos más de lo que ganamos. Por eso podemos gozar de la vida. No se trata de ganar más para vivir mejor, es gastar menos de lo que ganamos lo que nos hará vivir mejor. Los filósofos griegos concluían tal como Pablo escribe, y yo comparto la idea: no es aumentar nuestros bienes sino disminuir nuestros deseos.

Ese es el detalle, no aumentar nuestros bienes, sino disminuir nuestros deseos. Si usted está bien en la casa en la que está, ¿por qué se quiere mudar? Si le representa un buen negocio, hágalo. Si le va a ir mejor, hágalo. Pero si desea mudarse simplemente porque la prima, el tío, el socio o el compañero compró una linda casa, y cuando usted la conoció salió impresionado y quiere una igual o parecida, ¡tenga cuidado! Corre el peligro de quedarse sin la que tiene y sin la que desea comprar. Cuídese. ¡Evite endeudarse!

Pablo dice que debemos aprender a vivir contentos con lo que tenemos. Ahorre. Y si el día de mañana tiene la oportunidad, mejore su casa. Mientras tanto, viva en la casa en la que está y viva contento. Viva feliz y viva libre de deudas. Muchas veces nos dejamos impresionar por las apariencias o por lo que otras personas tienen —sus joyas, sus prendas de vestir. Usted no sabe, pero es posible que deban todo eso. Si usted quiere esa vida de pura apariencia y endeudamiento, yo no la quiero. Yo prefiero que el reloj que tengo puesto, la ropa y zapatos que llevo puestos, no los deba. Prefiero repararlos antes que renovarlos. ¿Quiere cambiar su auto porque un día no quiso andar? Repárelo.

He conocido a gente de mucho dinero que cada año cambiaba su BMW. Hoy, esa gente anda a pie, no tiene casa propia y literalmente está en la calle. ¿Por qué? Porque no aprendió a gastar menos de lo que ganaba. No aprendió a comprar por necesidad en lugar de hacerlo por avaricia.

Imelda Marcos, la esposa del gran dictador de las Filipinas, se hizo famosa por la cantidad de zapatos que poseía. Tenía quinientos pares de zapatos. ¿Acaso andará mejor si usted tiene mil pares de zapatos? Cuando usted tiene juanetes o callos en los pies, los tendrá a pesar de que tenga un par, quinientos o mil pares de zapatos. Créame, solo podemos ponernos un par de zapatos a la vez. Entonces ¿por qué tiene que comprar más y más, y después no tiene lugar para guardarlos?

Piénselo bien. Estamos endeudados porque compramos por vanidad, por avaricia y no por necesidad. La deuda excesiva es señal de la avaricia. Ya mencioné la respuesta de Rockefeller cuando le preguntaron con cuántos millones se podía satisfacer a un hombre. Dijo: "Siempre necesitará un millón más". Es posible que usted pueda tener tantos millones como los que tuvo Rockefeller, pero siempre querrá más. El problema está en que nuestros deseos siempre aumentan.

Haga la prueba. Pregunte en su oficina, en su club o a todos sus trabajadores: ¿cuántos desean que se les aumente el sueldo? ¿Cuántos cree usted que dirán que sí? Rara vez, probablemente nunca, se encontrará con alguien que no quiera ganar más. Todos queremos más, el que tiene 10 quiere tener 20 y así sucesivamente. Todos queremos más. Y puede ser que simplemente sea por pura vanidad. Por ejemplo, quizás usted lee en los periódicos y ve en la televisión los anuncios y comerciales de las nuevas estufas que cuentan con nuevos e impresionantes detalles. Usted se entusiasma, compra la estufa nueva y, al poco tiempo le empieza a encontrar defectos que le hacen añorar la que había desechado. Y, además, por haberla comprado a crédito, enfrenta problemas y angustias porque no le alcanza el sueldo y no la puede pagar. En ese caso será mejor devolverla. Si usted no la puede pagar, ¿qué debe hacer? ¡Devolverla! A veces es preferible no cambiar la vieja estufa por una nueva.

Es más que importante y necesario evitar endeudarse. La avaricia se mide por la diferencia entre lo que necesitamos y lo que realmente deseamos. La avaricia es un afán excesivo de conseguir cosas. Pero debemos ser prácticos. Si drásticamente se le redujeron sus ingresos mensuales, ya sea porque se quedó sin trabajo o al encontrar otro, sus ingresos son menores, adáptese y ajústese a esa realidad. Tenga presente que no debe gastar más de lo que gana, aunque al principio le costará, porque ahora tiene que vivir con otra realidad.

Debe vivir una realidad de acuerdo con sus ingresos y tener la voluntad de decir no a las propuestas de negocios en las que muchas veces le ofrecen regalos. Recuerde, ¡nadie regala nada! Habrá ocasiones cuando recibirá llamadas diciéndole que ha sido escogido para participar en una cena exclusiva en un cierto hotel y que además se ha hecho acreedor a una cámara fotográfica. La realidad es otra. En el momento de aceptar la oferta, adquirió un compromiso que le saldrá caro y del cual le será difícil liberarse, porque atraído por esa camarita que compran a montones en China, usted entregó la información de su tarjeta de crédito y sus datos personales. Le pintan un cuadro maravilloso y le hacen creer que usted puede viajar a muchos lugares y quedarse en hoteles de lujo, tanto en América como en Europa. Y si usted duda, llaman a otro vendedor experto y usted, que muchas veces no tiene ni para el colegio, ni para viajar a un centro turístico cercano en el lugar donde vive, se compromete. El asunto está en que usted ya no podrá liberarse fácilmente, por un lado, porque lo han motivado y por otro, porque no le dejarán.

Al final usted no viaja, pero se ha comprometido a una deuda que no le trajo ningún beneficio. ¿Por qué? Por no aprender a decir no. Tenga cuidado, nada es gratis.

Recién casados, cuidado con el deseo de tenerlo todo ahora. Muchos jóvenes y señoritas que desean casarse, quieren tener un terreno, una casa propia bien amueblada; todo a la vez. El problema es que se casan teniéndolo todo, pero con muchas deudas. A veces uno queda admirado por las lujosas fiestas de boda, los exquisitos platillos de comida, y el elegante hotel donde se realizó el evento. Pero ¡qué endeudados quedaron! Cuídense. No es necesario que lo tengan todo desde el primer día. Pregúnteles a sus padres cómo comenzaron su matrimonio. Alquilaban un cuarto pequeño, una caja les servía de mesa, y otra de sillón. Eso sí, un buen colchón. El caso es que no se necesita tanto cuando están recién casados.

Recuerdo a una pareja que me dijo un día:

—Pastor, tenemos un problema. Quiero tener un hijo y mi mujer dice que las cuentas no dejan.

—¿Cómo que las cuentas no dejan, señora? —le pregunté yo.

—Pastor —dijo ella—, yo ya hice las cuentas y sumé lo que me cuesta el cuidado prenatal, el parto, el postnatal, el kínder, la primaria, la secundaria y la universidad. No nos alcanza.

Esa señora se pasó de exagerada.

Si nuestros padres hubieran hecho cuentas, no habríamos nacido nosotros. Tenemos que aprender lo que dijo Jesús: *basta a cada día su propio afán*. La falta de autodisciplina se evidencia en la lista de pagos que tenemos. Entonces, cuando vaya de compras, pregúntese: ¿Verdaderamente necesito esto, o no? ¿Está mi cónyuge de acuerdo? ¡Ah! ¡Qué importante es esto!

La Biblia dice que dos que no están de acuerdo no pueden andar juntos, y el secreto para andar juntos en el matrimonio es estar de acuerdo. Usted no puede adoptar una decisión unilateral y de repente llegar con su esposa solamente a contarle que compró la casa. Ella le puede decir que cómo hizo tal cosa, si no tienen ni para pagar la renta de la casa donde viven, mucho menos para comprometerse a una deuda tan grande. Primero plantee su proyecto y analícenlo juntos, y al ponerse de acuerdo ambos, tomen la decisión correcta y sabia. Los dos pueden enfrentar la situación de la mejor manera. Debe recordar que uno hará correr a mil, pero dos harán correr a diez mil. También debe recordar que en el matrimonio ya no es mi dinero, ni tu dinero, a menos que haya hecho un contrato especial antes de casarse, de lo contrario debe decirse "es nuestro".

Pregúntese: ¿Tengo paz mental haciendo esta compra? Si usted no tiene paz mental al hacer esa compra, no la haga. Quizás nunca haga la compra, pero si no está seguro, convencido, con paz mental, sencillamente no la haga. A veces el Espíritu nos habla al corazón y nos hace sentir incómodos con respecto a una compra, entonces ¿por qué seguimos adelante y la efectuamos? Aprender a decir no es la clave, y siempre pregúntese: "¿Cómo lo voy a pagar?". Si usted no tiene para pagarlo, no lo compre.

Jesús enseñó más sobre la administración del dinero que sobre el mismo cielo, el infierno y la oración juntos. Él sabía que nuestro gran problema es la administración de nuestras finanzas. Es bueno recordar que nosotros estamos en esta tierra, no en calidad de dueños sino en calidad de administradores. Usted no es dueño de la casa que tiene aunque en el registro de la propiedad inmueble diga que usted es el dueño. ¿Quién es el dueño de todo? Es Dios. Él dice: *¡Todo lo que hay debajo del cielo, mío es!* (Job 41:11b). El Salmo 24:1, 2a señala: *Del SEÑOR es la tierra y todo lo que hay en ella; el mundo y los que lo habitan. Porque él la fundó sobre los mares* (Salmo 24:1, 2a). Dios es el dueño de nuestra casa, de nuestros vehículos, de nuestro dinero, de nuestra familia. Nosotros solamente somos sus administradores, y tenemos que actuar como tales. Recuérdelo, porque esto es básico para nuestra vida.

La manera como se maneja el dinero en la tierra determinará cómo nos entregará Dios sus cosas espirituales para que las administremos. Si nosotros no sabemos administrar bien las cosas terrenales —el dinero, que es lo más común y corriente— Dios no nos va a poner como administradores de sus cosas espirituales. Si usted es un mal administrador financiero en su casa, en su trabajo, en su empresa, Dios no le va a encomendar administrar el reino de Dios. Si usted no puede administrar una pequeña empresa, menos va a poder administrar la empresa de Dios. La Biblia dice: *Si alguien anhela el obispado, desea buena obra. Entonces es necesario que el obispo... gobierne bien su casa... Porque si alguien no sabe gobernar su propia casa, ¿cómo cuidará de la iglesia de Dios?* (1 Timoteo 3:1-5). Si en las cosas materiales somos un fracaso, seguramente seremos más fracaso en las cosas espirituales. Para mí un cristiano que no vive holgado, que no vive solvente, no tiene autoridad espiritual, porque no ha logrado vencer a un enemigo que es más fácil de vencer que al mismo pecado.

Nosotros tenemos que aprender a vencer estas debilidades humanas, por eso dice Jesús en Lucas 16:11: *Así que, si con las riquezas injustas no fueron fieles, ¿quién les confiará lo verdadero?* Las verdaderas cosas son las de Dios, las espirituales. *Y si en lo ajeno no fueron fieles, ¿quién les dará lo que es de ustedes?* (Lucas 16:12). Yo quiero dejar bien establecido que lo que nos pertenece está fuera de este mundo. Jesús se fue a preparar una morada espiritual para cada uno de nosotros. Nuestra mejor casa ya la están preparando en el cielo.

Recuerdo la historia que cuenta un querido hermano predicador. Dice que se murieron dos personas, una señora muy pobre de la congregación y una señora muy rica, también de la congregación. La señora pobre llegó al cielo y le dijeron: la vamos a llevar a su vivienda, y la llevaron a un barrio donde estaba una mansión extraordinaria, como jamás había soñado. Las únicas que ella había conocido en la tierra eran las que limpiaba. La señora quedó asustada y asombrada de la gran casa que le estaban entregando.

A la otra señora la pusieron en una casa sencilla, muy chiquita. Apenas había un dormitorio, un baño y una cocina. Como estaba acostumbrada a grandes cosas protestó y le dijo a San Pedro:

"Esta es una injusticia. ¿Por qué a mí me dan esta pequeña casa y a aquella señora, a quien yo conozco, le dan esa casa tan grande?". Le respondió Pedro: "Es que esta señora diezmó fielmente, siempre ofrendó; hacía promesas de fe extraordinarias en comparación a la cantidad de ingresos que tenía y toda la vida envió ofrendas para la compra de materiales de construcción. En cambio, usted daba lo que le sobraba, nunca hizo un diezmo legítimo, nunca envió sus promesas de fe, nunca ayudó para comprar materiales de construcción.

Esta es una parábola interesante. Lo que le puedo asegurar es que lo que nos pertenece no está en esta tierra, está fuera de esta tierra. Claro, mientras estemos viviendo en ella vamos a disfrutar de lo que Dios nos da para administrar. Aquí en la tierra no somos dueños, somos administradores. Necesitamos buenos administradores en nuestra sociedad. Un buen administrador no roba.

Cuando usted tiene un buen administrador como José, que estuvo en Egipto como administrador de los bienes de Potifar, todo lo que este hombre tocaba prosperaba. ¿Por qué? Porque no robaba.

Si a usted lo ponen como administrador de un negocio, de una finca, una empresa, una casa —de lo que sea— como buen administrador, usted no robará. Como un buen administrador, usted no desperdiciará. Siempre estará al tanto de que se reciclen todos los recursos, de que se usen al máximo. La señora que es buena administradora de su casa no permite que sus hijos tiren la comida, pues les enseña a comer lo que se les sirve en sus platos. Es una tristeza ver los grandes platos de comida que se echan a la basura. Eso es mala administración. Un buen administrador no desperdicia; un buen administrador no deja abierta la llave del agua mientras se lava los dientes. Un buen administrador toma un vaso, lo llena, cierra la llave y entonces se cepilla. Un buen administrador no se enjabona mientras el agua de la regadera cae por cantidades. Se moja, cierra la regadera, se enjabona, y vuelve a abrir el agua. Ese es un buen administrador.

Nosotros hemos sido malos administradores del agua. Por eso leemos en los periódicos que el mundo tiene problemas de sequía, que falta agua y agua potable. ¿Por qué? Porque estamos siendo malos administradores.

Un buen administrador no roba. Dice Malaquías 3:9 que la nación de Israel entera le había robado al Señor; ¿por qué? Porque no le estaba entregando el diezmo. Cuando usted es dueño de una empresa, llega con el administrador y le pide cuentas. Usted espera que le entregue un listado de gastos, un listado de ingresos, un inventario de productos. Ahí se da cuenta si está ganando o si está perdiendo. Entonces usted cobra sus utilidades o cobra su sueldo o recibe sus beneficios, pero no va a tolerar que un administrador le robe.

Nosotros debemos entender que, aunque no somos dueños de nada somos dueños de todo, porque nuestro Padre es el dueño de los cielos y de la tierra. Si lo tenemos a él lo tenemos todo. Pero frecuentemente somos como el hijo pródigo que tomamos la fortuna que el padre nos da y la desperdiciamos. La fortuna que se nos da puede ser material o puede ser espiritual y nosotros como administradores tenemos que cuidar de no desperdiciar lo que Dios nos da. Recuerde: somos administradores, no dueños.

La deuda destruye matrimonios, amistades y la relación con

Dios. Si no diezma, usted le roba a Dios, y si no cumple con los compromisos con Dios, también está destruyendo su relación con Dios. Tenga cuidado, porque usted es administrador de las cosas de Dios.

No sea fiador de nadie

No se comprometa a ser fiador, pues al hacerlo se compromete a pagar toda la deuda. Le estoy dando un consejo bíblico que lo va a librar de muchas penas. Si se compromete a firmar como codeudor, se compromete a pagar toda la deuda. Pero si usted no está dispuesto a pagarla, no firme como codeudor. Imagínese si la otra persona se va del país y no paga. ¿Quién lo va a hacer? ¡Usted! Por más que llore, por más que patalee, por más que reclame, usted tendrá que pagar. Así que, si usted está dispuesto a pagar toda la deuda, firme como codeudor de quien quiera.

Pedir o dar dinero a préstamo produce inmediatamente una pared entre el deudor y el acreedor. A veces se pierden grandes amistades por un préstamo. Si le prestó al amigo y el amigo no pudo pagar, perdió el dinero y perdió al amigo. Si usted ama a su amigo y le va a prestar, sepa que es posible que su amigo no le pague. Si usted es el que pidió prestado, recuerde que debe liquidar la deuda para no tener cuentas pendientes. ¡Ay de aquel que se aprovecha de un amigo o de un familiar para pedirle prestado y luego no le paga! Eso no es correcto.

Siendo niño tuve una experiencia que le voy a contar por ser algo curiosa. Un día llegó mi primo, que me lleva como diez años de edad; yo tenía alrededor de 10 años, y me dijo:

—Óyeme, vamos al cine.

—Está bien —le dije.

—Pero tú pagarás.

—¡Ah! —expresé.

—Préstame 50 centavos, y después te los pago —me dijo.

Entonces le di los 50 centavos y nos fuimos al cine. A la semana se murió. Y me dije: "¿Y mis 50 centavos?". Pasa hasta en las mejores familias.

Evitar endeudarse es clave para poder vivir en prosperidad. No necesitamos endeudarnos para que Dios nos provea. La Biblia dice que el Padre celestial sabe de qué cosas tenemos necesidad y él las suple. Usted sabe bien que *Jehová es mi pastor, nada me faltará* (Salmo 23:1).

El salmista dijo: *Yo he sido joven y he envejecido; pero no he visto a un justo desamparado ni a sus descendientes mendigando pan* (Salmo 37:25). Esta es palabra de Dios práctica y real para una vida próspera. Viva sin deudas y vivirá feliz; vivirá libre y vivirá tranquilo.

Capítulo 8

¿Cómo salir de deudas?

Hemos visto lo que la Biblia enseña con respecto a las fórmulas bíblicas para prosperar; ahora vamos a considerar una señal de la prosperidad que es vivir libre de deudas. En un capítulo anterior hablamos de la importancia de evitar el endeudamiento, pero quizá algunos recibieron esa enseñanza demasiado tarde porque ya están endeudados. Para esos que ya están endeudados, hablaremos de cómo salir de las deudas, cómo cancelar dichas deudas.

La Biblia nos enseña en el Salmo 37:21 que *el impío toma prestado y no paga, pero el justo tiene compasión y da.* Cuando hablamos de dar, nos estamos refiriendo al concepto que hemos expuesto con anterioridad: la importancia de honrar al Señor con nuestros bienes; dar el diezmo, dar ofrendas para la iglesia, para la construcción del templo, para el siervo de Dios, para los pobres. Pero también dice la Biblia que Dios ama al que da con alegría. Esto incluye no solamente dar con alegría a Dios y al pobre, sino también a su acreedor.

Cuando tenemos una deuda, no nos queda más remedio que pagarla. Es una responsabilidad cristiana solventar los compromisos adquiridos. Podríamos escuchar el testimonio de personas que han estado endeudadas por cientos de miles de quetzales y han aprendido, a través de estos principios bíblicos, a pagar esas deudas y comenzar una nueva vida libre de toda atadura; sobre todo, libres de todo afán por estar pidiendo prestado o a crédito. Nuestra meta como cristianos debe ser vivir libres de deudas, vivir solventes. Hasta entonces podremos disfrutar verdaderamente la vida al máximo con lo que Dios nos provee. Entonces podremos dormir sin la angustia de levantarnos otro día y ser agobiados, presionados y perseguidos por nuestros acreedores.

¡Qué lindo es poder vivir libre de deudas! Puedo asegurarle que he vivido, prácticamente toda mi vida, libre de deudas. Fraternidad Cristiana de Guatemala, en toda su existencia, ha vivido libre de deudas. Hemos podido construir todos los edificios con el dinero que tenemos disponible, comprar los terrenos en Santa Ana en El Salvador, en Santiago Atitlán (en el occidente guatemalteco) y el centro de retiros "La estancia". Hemos podido construir los módulos educativos, comprar equipos modernos de televisión, vehículos y muchas cosas más, y lo hemos podido hacer sin endeudarnos.

De modo que, cuando me refiero a que nuestro ideal debe ser vivir libre de deudas, estoy hablando de algo que practicamos.

Lo creemos, lo vivimos y lo practicamos, y deseamos que cada uno llegue al momento de su vida cuando pueda decir: estoy haciendo el último pago de la deuda. Ya no me cobrarán más intereses, no perderé más dinero por recargos y podré disfrutar de mi dinero al máximo. Entonces usted tendrá suficientes recursos para sostenerse a sí mismo y a su familia, para realizar sus sueños de toda la vida; comprar su casa, vivir solvente, invertir en la obra del Señor y servir a Dios con toda libertad.

Leímos que el impío pide prestado y no paga. Si hemos pedido prestado, no nos queda otra opción que pagar. En el libro que Pablo escribió a los Romanos 13:7-10 dice: *Paguen a todos lo que deben: al que tributo, tributo; al que impuesto, impuesto; al que respeto, respeto; al que honra, honra. No deban a nadie nada salvo el amarse unos a otros, porque el que ama al prójimo ha cumplido la ley. Porque los mandamientos —no cometerás adulterio, no cometerás homicidio, no robarás, no codiciarás, y cualquier otro mandamiento— se resumen en esta sentencia: Amarás a tu prójimo como a ti mismo. El amor no hace mal al prójimo; así que el amor es el cumplimiento de la ley.* Cuando tenemos una deuda con alguien y no le pagamos, lo estamos perjudicando. Además, nos estamos perjudicando a nosotros mismos porque si es alguien con quien hemos hecho un contrato de préstamo, existe un compromiso de pagar intereses por ese dinero. Nos dañamos a nosotros mismos por estar pagando cada vez más intereses. Hay quienes están satisfechos con pagar solamente los intereses de la deuda. Lo que están haciendo es descapitalizándose; es como meterse a su propia tumba que están cavando en ese momento.

Uno de los problemas más grandes que tenemos hoy en día es el referente a los pagos con tarjeta de crédito. Hay un artículo que recorté hace algún tiempo, dice: "El endeudamiento con la tarjeta de crédito ha causado en Japón la ruina de más de treinta mil personas, no pocos suicidios y un aumento de solicitudes denegadas por bancos, grandes almacenes y otras entidades. Un botón de muestra es el de Keikos Sumino, de 29 años de edad. Empleada de una compañía de valores con un salario mensual de dos mil cuatrocientos dólares, solicitó un total de 12 tarjetas de crédito y tuvo que declararse en bancarrota incapaz de pagar doscientos cincuentas mil dólares en deudas. Sumino, siempre vestida a la moda, aficionada a cenar fuera de casa casi todas las noches y empedernida derrochadora, es una de las miles de jóvenes niponas incluidas en un informe de un tribunal supremo sobre este problema. Enterado su esposo de sus deudas, le pidió el divorcio.

"Según un estudio del centro de información nacional al consumidor, 10.234 clientes entre 20 y 30 años contrajeron elevadas deudas, frente a 8.082 del año anterior. Un caso típico es el de un joven de 22 años que gana 1.500 dólares y debe afrontar pagos mensuales de dos mil. El auge económico al término de la década pasada facilitó la obtención de tarjetas de crédito y condujo a la juventud japonesa a un desaforado consumo, sin reparar en que las entidades financieras y comerciales comenzaron a cargar entre 25 y 35 por ciento anual en intereses. 'Pedí todas las tarjetas posibles y no pude superar el vicio de frecuentar restaurantes y tiendas de ropa, inclusive cuando mi sueldo ya era insuficiente', dijo una de las afectadas".

En Guatemala se paga mucho más, pues cobran intereses en la capitalización de intereses, entre otros gastos que se tienen que pagar. Los que usan tarjetas de crédito tienen la opción de hacer un pago mínimo cuando les llega el estado de cuenta al final del mes y según una notita que aparece en el mismo. Si se acoge a esa invitación de hacer el pago mínimo, tiene que pagar intereses por el resto del saldo que le van capitalizando y, al final del año, usted resulta pagando un promedio entre 110 y 130 por ciento de interés.

Por eso muchos se endeudan fácilmente, porque se dejan deslumbrar por el espejismo del crédito, y esa cultura de pagar a crédito se nos ha enraizado de tal manera que se ha convertido en una práctica habitual. Por ejemplo, cuando se toman vacaciones y se planifica el viaje, se compran los boletos a crédito, se paga el hotel a crédito, se pagan las comidas con la tarjeta de crédito, se compran los regalitos con la tarjeta de crédito y cuando se terminan de hacer todos esos gastos, se regresa a casa y se empieza a pagar solo la cuota mínima. En lugar de pagar la totalidad y cancelarlo, se paga lo menos posible y comienza la cadena de deudas. Si no tiene el dinero, no se vaya de vacaciones tan lejos, no pague un hotel caro, no salga a comer tan frecuentemente. Tome unas vacaciones más modestas, vaya a su pueblo, visite a los parientes, viva con ellos, coma con ellos.

Haga todo lo posible por no endeudarse. Es muy fácil contraer deudas, porque nos gusta aparentar y dar la impresión de que tenemos una clase social más alta o más pudiente de la que realmente tenemos. Debemos recordar y aplicar un principio de administración doméstica: no gastar más de lo que ganamos y no comprar a crédito, a menos de que podamos cancelar la deuda al fin de mes y quedar libres de financiamientos.

Hay muchas personas que viven angustiadas porque no saben qué hacer como consecuencia de los pagos mensuales que deben hacer para amortizar la deuda de la tarjeta de crédito. Se los están "comiendo". Si está endeudado con su tarjeta de crédito y desea salir de esa situación, lo primero que tiene que hacer es parar inmediatamente su uso. Tome unas tijeras y destruya esa tarjeta de crédito. ¡No la use más! Hable usted con la empresa que le está dando el crédito y diga: "Señores, ustedes saben que estoy en deuda con ustedes y no deseo seguir aumentando la deuda. Ya no quiero usar la tarjeta hasta que les pague a ustedes el total, pero por ahora, suspéndanla. Hagamos un arreglo, por favor. Establezcamos un plan de pago por medio del cual no quede yo tan 'atornillado' y ustedes recuperen su dinero". Tiene que empezar por dar la cara.

Así que, el primer consejo práctico que usted debe tomar en cuenta —porque probablemente usted está siendo víctima de sus tarjetas de crédito— es que no las use, a menos de que les esté dando el uso correcto. Permítame decirle que sí es un beneficio usar bien la tarjeta, pues le permite viajar sin llevar consigo el rollo de billetes. Le puede servir para que lo atiendan rápidamente en un hotel. Lamentablemente, si usted viaja a cualquier país y lleva consigo un rollo de billetes se expone a todo tipo de peligros. Usar la tarjeta de esta manera es hacerlo correcta y adecuadamente, sobre todo cuando se debe viajar.

He conocido a familias que han venido a la congregación totalmente desmoralizadas por el uso del dinero plástico. Recibieron asesoría y pararon el uso de la tarjeta de crédito. Si usted está endeudado, el consejo más sabio que debe seguir es detener ese endeudamiento y no seguir aumentando su angustia.

Además, debe evitar por todos los medios posibles, pedir más dinero prestado. El gran error de muchas personas es que, cuando tienen deudas, piden otro préstamo para pagar un préstamo. Lo peor es que lo hacen pidiendo otra tarjeta de crédito. Luego la usan para sacar dinero, y con eso pagan la otra tarjeta de crédito. Así resultan pagando mucho más, porque al sacar dinero en efectivo le van a cobrar cinco por ciento de entrada, y al no pagar el saldo, le comenzarán a cobrar otra vez intereses.

En Guatemala las abuelitas dicen: "No hay que abrir un hoyo para tapar otro". No se trata de abrir un hoyo para tapar otro hoyo; mejor procure con esfuerzo tapar el que ya tiene. No pida más dinero prestado.

Es casi obligatorio hacer una lista de lo que se debe. Mucha gente ni sabe lo que debe. A muchos se les olvida las compras que hacen con su tarjeta de crédito. Hay quienes no saben lo que tienen, pero hay quienes no saben lo que deben. Y por eso es necesario que usted anote todas sus deudas. Valdría la pena empezar esta misma noche o mañana haciendo el ejercicio de tomar una hoja de papel y anotar todas sus deudas. Después de tenerlas anotadas, empiece a pagarlas.

Le voy a dar un buen consejo: pague la más pequeña primero. Verá que se sentirá muy bien cuando usted pueda decir: "Le vengo a cancelar lo que me prestó". Si le prestó su tía, su abuelita o su mamá, vaya y dígale: "Aquí está el dinero que me prestó". Pague la deuda más pequeña y luego pague la que sigue, saliendo de todas ellas una por una.

Una vez que haya pagado la totalidad de una deuda, no disponga de ese dinero. Agréguelo a la cantidad que usted ha designado para pagar la que sigue. Todo el dinero extra que adquiera, que le regalen, que se saque como premio, que tiene en el fondo de ahorro en la oficina, etc., úselo todo para pagar. No lo malgaste, no lo distraiga para nada, porque cuando lo agrega a sus otros pagos, disminuirán las deudas que lo están agobiando.

Entre todos estos consejos para salir de sus deudas utilizando los recursos que están a su alcance, hay algo muy importante que no debe olvidar desde ningún punto de vista, ni aun dentro de la tormenta que lo abate. Recuérdelo siempre: no use el diezmo del Señor para pagar sus deudas. Hay quienes dicen que no pueden pagar sus diezmos porque están endeudados. Ahora que está endeudado es cuando más tiene que aprender a dar al Señor lo que es del Señor. Porque si usted no paga el diezmo al Señor, usted le estará robando al Señor. Dé al Señor el diezmo de lo que usted está recibiendo, de lo que usted esté ganando.

Empiece a hacer el esfuerzo de ir pagando. Verá qué rico se siente cuando Dios rescata su vida del hoyo y usted queda libre de deudas. El gran error de las naciones del mundo es su estado caótico como consecuencia de las deudas. Y todavía se atreven a gestionar y a pedir más dinero prestado para seguir endeudándose. ¿Con qué lo van a pagar? ¡Qué fácil es pedir dinero prestado! Todos sabemos que es fácil ¿no es cierto? Y si usted tiene un "crédito preaprobado" o una tarjeta de crédito, es aún más fácil caer en la tentación, sobre todo cuando usted gasta y comienzan a aumentarle su disponibilidad de consumo. Y a usted, como es buen cliente, le ofrecen más y más tarjetas, hasta que de pronto, ya tiene una docena de tarjetas.

Tenga cuidado. Este es un mal del siglo; todo el mundo está endeudado excepto algunos cuantos cristianos que hemos creído en los principios del Señor y hemos aprendido a no endeudarnos. Estamos libres de deudas. Esto es ser verdaderamente libres, cuando nosotros no le debemos nada a nadie.

Hace algunos años, un querido hermano anciano de la congregación se encontraba muy angustiado. Todos los demás hermanos también estaban angustiados por él. Había adelgazado tanto que pensaban que estaba enfermo. ¿Se ha fijado que cuando la gente está endeudada adelgaza?

¿Qué le estaba pasando? Había sacado dinero de su negocio para invertirlo en hacer una casa nueva, muy linda. Pero, al hacer esto, se quedó sin capital para pagarle a sus proveedores. Eso sí, tenía una casa linda.

Un día cuando estábamos reunidos los ancianos le dije:

—Quiero hacerte una observación y darte un consejo. El consejo que te voy a dar, tómalo con toda la sinceridad de mi corazón; y si lo sigues, te irá bien. Vende la casa que acabas de construir; así recuperarás el dinero que has invertido en ella, más la plusvalía y la ganancia que eso pueda darte. Vas a tener una ganancia, una utilidad. Eso sí, por un tiempo sufrirás el disgusto de no poder estrenar tu casa nueva. Sin embargo, así como está tu situación económica personal y, por lo tanto la de tu familia, no tienes por qué estrenar casa nueva. Además, si te vas a vivir allí perderás tu negocio y perderás tu casa. Véndela, paga tus deudas, invierte el dinero que te queda en tu negocio y compra la casa donde estás viviendo en lugar de arrendarla. Como es de tu pariente, probablemente te la quiera vender.

Gracias a Dios siguió mi consejo. Vendió la casa, pagó sus cuentas, invirtió dinero en su negocio y decidió vivir con su esposa donde el Señor ya les había provisto. Ya no supe finalmente si compró el lugar que era de su pariente o no, pero puso en práctica el consejo que ahora le doy a usted también.

Si tiene que pagar una deuda y posee un bien, una propiedad o algo que sea de valor, véndalo. Muchos de los que están endeudados generalmente quieren andar en un "carrazo". ¡Más ira les da a sus acreedores! No pagan sus deudas, pero sí andan en su automóvil lujoso, y lucen su "relojazo", su gran casa y sus muebles. Si usted no tiene con qué pagar, venda lo que tiene. "Es que yo compré el terreno para cuando tuviera necesidad", dirá. Pues, ahora es cuando tiene necesidad. ¿Qué más necesidad que lo embarguen y que, de todos modos, lo pierda por la deuda que tiene? Mejor vaya rápido, véndalo y abone a su cuenta, o salga de su deuda. Si tiene algo que vender, véndalo.

No hay que poner el corazón en las propiedades. Imagine que usted hubiera sido dueño de una oficina en las Torres Gemelas en Nueva York. ¿Cómo se hubiera sentido? ¿Especial? ¿Extraordinario? Con orgullo hubiera anunciado: "Yo tengo una oficina en el *World Trade Center*. Es mía, yo la compré. Es más, pensaba comprar un nivel entero. ¿Dónde está esa oficina hoy? ¡Ya no existe! No debemos poner el corazón en las cosas materiales porque la Biblia dice que las riquezas tienen alas y vuelan, y si no "se las vuelan". Así que, si usted tiene una propiedad inmobiliaria o un vehículo, ¡véndalo! Como le diría mi mamá: "¿Acaso naciste con vehículo?". Véndalo y tome taxis, autobuses, u otra forma de transporte. A lo mejor usted tiene otro vehículo más viejito, use ese. Pero hay que vender lo que sea para pagar las deudas lo más antes posible.

La mayoría de las familias tienen más vajillas de las que generalmente usan, algunas ni se han sacado de las cajas. Venda las que no utiliza. Tiene un juego de sala que no usa, véndalo también. ¿Tiene un reloj muy bonito de un valor especial? ¡Véndalo! ¿Quiere conservar todo lo que tiene y al mismo tiempo pagar sus deudas? En la mayoría de los casos, esto es imposible. Si queremos salir de deudas, tenemos que vender lo que tenemos para poderlas pagar.

Es importante entender que para salir de deudas es necesario tomar decisiones difíciles que, a la larga, le van a dar paz y tranquilidad. He conocido a personas que han perdido sus mansiones porque se endeudaron. Vino el banco y las recogió por no tomar a tiempo las decisiones que los hubieran liberado. Venda todo lo despreciable que tenga, y luego venda lo apreciable.

Hay ocasiones cuando la crisis por endeudamiento llegará a tal punto que, para poder salir de esa situación, tendrá que hacer trabajos que antes contrataba a otros para hacer. Ya no puede apoyarse en la posición acomodada que antes tenía, ahora debe enfrentar otra realidad. Si ya no puede pagar a las personas que realizan los trabajos domésticos, de jardinería u otros tipos de trabajos de su casa, tiene que hacerse a la idea de que usted tiene que encargarse de esas tareas.

Hay muchas cosas que nosotros podemos hacer, pero no las hacemos cuando creemos que no tenemos necesidad. Es bonito ir al restaurante, ordenar y esperar que le sirvan. Usted, como un gran señor, solo está allí para ser atendido. Eso está bien cuando tiene con qué pagar, pero cuando usted está endeudado, mejor quédese en casa.

Tenemos que adoptar medidas radicales, prácticas y sencillas para salir de las deudas. Comience a buscar cómo y con qué puede hacerlo. ¿No le parece que también debe involucrar a los hijos? ¡Por supuesto que sí! Debe pedirles su ayuda y hacerles conscientes de la situación, a fin de tener una participación integral de toda la familia.

Otro aspecto muy importante es evitar comprar ropa nueva. Si usted está endeudado, ¿para qué comprar ropa nueva? Si de veras necesita ropa, cómprela en las tiendas que venden buena ropa usada. Le saldrá mucho más barata. ¿Por qué empeñarse en comprar ropa nueva y en cantidades que no necesita cuando está pasando por momentos de crisis? Una vez que usted supere la crisis, entonces se puede dar el gusto de comprarse ropa nueva. Y es muy posible que hasta le sobre dinero. Ahórrelo para los momentos difíciles. También cultive el hábito de comprar cuando los grandes almacenes ofrecen ofertas especiales.

Si hay algo que usted compró y no lo puede pagar, devuélvalo. Si usted tiene un auto que compró y no lo puede pagar, es mejor devolverlo. Renegocie el contrato y recupere lo que pueda. Al hacerlo, también recuperará su libertad.

Le voy a dar un consejo muy importante. Cuando tenga dificultad en pagar cierta cuenta, busque a su acreedor, plantéele su problema y propóngale un plan de pago que vaya de acuerdo con sus posibilidades. El peor error que puede cometer es esconderse. Enfrente el problema hablando con su pariente, amigo o las compañías que le han dado crédito, y preséntheles el plan de pago que usted ha preparado. Reconozca ante ellos que tiene una deuda pendiente pero que tiene toda la intención de cumplir con su responsabilidad.

En 2 Reyes 4:1-7 encontramos el ejemplo de una familia endeudada y lo que hicieron para salir de la deuda: *Entonces una mujer, que fuera esposa de uno de los hijos de los profetas, clamó a Eliseo diciendo:*

—Tu siervo, mi marido, ha muerto. Tú sabes que tu siervo era temeroso del SEÑOR, pero el acreedor ha venido para llevarse a mis dos hijos como esclavos suyos.

El esposo de esta mujer fue un profeta, pero irresponsable. Hay muchos que son profetas, predicadores, evangelistas o cantantes, pero que financieramente no son responsables porque administran mal su dinero. No planifican; son mala paga, son despilfarradores. Con facilidad se endeudan y cuando mueren dejan a la viuda y a los hijos con una herencia de endeudamiento. Para una viuda es difícil vivir sin su esposo, sobre todo lo era en la época del Antiguo Testamento en que las mujeres no tenían los privilegios que tienen hoy.

Las mujeres hoy tienen el privilegio que Cristo les vino a dar de ponerlas a la par del hombre y darles la oportunidad de prepararse académicamente. Por eso hay viudas que, cuando se les muere el esposo, salen adelante gracias a su preparación, su trabajo y su empuje. También es cierto que hay viudas que cuando muere su esposo, no saben ni cómo escribir un cheque. ¡Ni siquiera saben qué hacía el esposo! Es importante recordar a los esposos que no guarden secretos para con su mujer. Enséñele a manejar su negocio, enséñele a escribir cheques, enséñele cuánto debe, cuánto tiene y dónde lo tiene. Algunos esposos tienen miedo de decirle a su mujer cuánto ganan. No es bueno que entre esposos exista este tipo de limitaciones en la comunicación, porque llega el momento en que la esposa tiene que hacerle frente al hogar, sobre todo en casos como este: *Pero el acreedor ha venido para llevarse a mis dos hijos como esclavos suyos.* Eso es lo que realmente hace un hombre que endeuda a su familia: la esclaviza. Se vuelven esclavos porque tienen que trabajar solo para pagar las deudas, los intereses y también el capital.

> *Y Eliseo le preguntó:*
> *—¿Qué puedo hacer por ti? Dime qué tienes en casa.*
> *Ella respondió:*
> *—Tu sierva no tiene ninguna cosa en casa, excepto un frasco de aceite.*
> *Él le dijo:*
> *—Ve y pide prestadas vasijas de fuera, de todas tus vecinas, vasijas vacías; no pidas pocas. Luego entra, cierra la puerta detrás de ti y de tus hijos, y vierte el aceite en todas esas vasijas. Y cuando una esté llena, ponla aparte.*

Note que Eliseo no le dijo: "Hermana, aquí te dejo para que pagues tu deuda". No le dio ni un centavo; lo que le dio fue una instrucción, un consejo, una asesoría, una dirección. ¿Qué tienes en tu casa? Muchas veces no sabemos ni lo que tenemos en la casa. Con frecuencia estamos parados sobre nuestra propia salvación, y tenemos los medios para salir de nuestro problema, pero no lo hacemos por falta de conocimiento.

Eliseo le dijo a la viuda que se encerrara a trabajar junto con sus hijos. No puede ser que cuando una señora enviuda los hijos sigan como si el papá estuviera todavía con ellos. Todos tienen que adaptarse al cambio y todos tienen que colaborar, incluyendo a los hijos. Ellos también deben participar.

Hay madres extremadamente protectoras que no permiten que sus hijos hagan nada, y padres igualmente sobre protectores que nunca permiten que sus hijos participen en su propio sostenimiento, no digamos en el sostenimiento del resto de la familia.

Ella se apartó de él y cerró la puerta detrás de sí y de sus hijos. Ellos le traían las vasijas, y ella vertía el aceite. Y sucedió que cuando las vasijas estuvieron llenas, dijo a un hijo suyo:
—Tráeme otra vasija.
Y le respondió:
—No hay más vasijas.
Entonces el aceite cesó. Luego ella fue y se lo contó al hombre de Dios, quien dijo:
—Anda, vende el aceite y paga tu deuda, y tú y tus hijos vivan de lo que quede.

¿Cuántas vasijas alcanzó a llenar? No sabemos, pero lo que sí sabemos es que logró llenar todas las vasijas que consiguió. Con el dinero que obtuvo de la venta, primero tuvo que pagar sus deudas, y con lo que le sobró, podían vivir ella y sus hijos.

Nuestra meta debe ser primero pagar nuestras deudas. Esa fue la condición de Eliseo para la viuda.

En tales circunstancias es posible que usted, mamá, tenga que decirle a su hijo: “Hijo, este año usarás el mismo uniforme porque no hay suficiente dinero para comprarte otro. Se murió tu papá y debemos pagar el funeral, el colegio, los útiles escolares y muchas cosas más". Las cosas pasan y no queda más remedio que hacerle frente a la realidad. El consejo de Eliseo es precisamente el consejo para usted: "Vende el aceite y paga tus deudas". Una mujer que paga sus deudas es una mujer que duerme tranquila y que puede entonces orientar su trabajo cotidiano para producir dinero que le permita obtener el pan y lo necesario para cada día, con la ayuda de Dios.

He conocido a mujeres que han quedado viudas y sienten que se han quedado en la calle. Pero siguiendo estos consejos bíblicos que hemos compartido, hoy son verdaderas empresarias. Ya no están endeudadas y tienen la manera de salir adelante porque han aprendido las fórmulas bíblicas para prosperar.

La deuda destruye matrimonios, amistades y la relación con Dios

En Proverbios 22:26, 27 encontramos otro importante consejo:

> *No estés entre los que se dan la mano, entre los que dan fianza por deudas. Si no tienes con que pagar, ¿por qué han de quitar tu cama de debajo de ti?*

A veces nos vemos comprometidos porque alguien viene a decirnos: "Quiero comprar una motocicleta y no me la dan si no hay un fiador, ¿podría hacerme el favor usted?".

Usted no quisiera hacerlo, pero le da pena, y accede. Al poco tiempo la persona sufre un accidente, queda golpeada, y no puede trabajar; el vehículo queda destrozado y por lo tanto, no tiene con qué pagar. ¿Quién cree usted que va a pagar la motocicleta? ¡Usted! Obligadamente la tiene que pagar y le aseguro que le va a costar pagarla, pero tiene que hacerlo porque usted firmó voluntariamente.

Así que, piénselo. Si usted no está dispuesto a pagar, mejor no sirva de fiador. Con frecuencia oigo casos de gente que se queja: "Fíjese que mi amigo me pidió que firmara como fiador para que él pudiera adquirir un préstamo del banco. Lo hice, pero él no ha pagado y ahora a mí me han embargado el sueldo. Ahora estoy teniendo que pagar el préstamo de este tal por cual".

El gran pariente, el gran amigo se convierte en el "tal por cual" porque le ensartó una deuda. Hubiera sido mejor que usted le dijera: "No me es posible ser tu fiador. Mejor te ayudo regalándote esto". Salva la amistad, salva el parentesco y se salva de un endeudamiento innecesario.

Es importante recordar que para salir de deudas tenemos que reconocer a Dios como nuestro Padre, nuestro proveedor. Lo hará de la misma manera como lo hizo con la viuda que fue a ver a Eliseo: proveyéndole del aceite suficiente para pagar sus deudas. Dios es nuestro proveedor, quien nos ayudará a salir de deudas, pero no para que volvamos a endeudarnos, sino para que vivamos libre de ellas. Yo he conocido a muchas personas que recibieron este mensaje, lo pusieron en práctica, creyeron en Dios y el Señor les fue proveyendo de una manera extraordinaria hasta que lograron salir de todo endeudamiento.

El siguiente consejo es: diezme consistentemente. Tanto ahora, que está endeudado, y con más gusto cuando quede libre de deudas. Aprenda a ser un buen administrador, no desperdicie. Recuerde la siguiente cita bíblica que le recomiendo subrayar en su Biblia y se apropie de ella como una promesa de Dios para su pueblo. Todo el capítulo 28 de Deuteronomio habla de las bendiciones por la obediencia y de las maldiciones por la desobediencia. Léalo completo. Por ahora solamente daré atención al versículo 12: *Él te abrirá su buen tesoro, los cielos, para dar lluvia a tu tierra en su tiempo y para bendecir toda la obra de tus manos. Tú darás prestado a muchas naciones, pero tú no pedirás prestado.* ¿Le gusta? *Tú darás prestado a muchas naciones, pero tú no pedirás prestado.* Esa debe ser nuestra norma: podemos dar prestado al hermano, al pariente, al amigo; pero nosotros no pediremos prestado, ¿por qué? Porque el Señor abrirá el tesoro, derramará sobre nosotros bendiciones y tendremos todo lo necesario.

Yo he visto que en nuestra congregación muchos están recibiendo del tesoro del Señor, han salido de sus deudas y viven hoy una vida en abundancia. Es decir, tienen todo lo que necesitan y algo más para compartir.

Si usted está dispuesto a salir de sus deudas y vivir conforme a lo que el Señor manda, haga un acto de rendición a Dios y ore en nombre de Jesús: "Padre nuestro, gracias porque yo sé que tú rescataste del hoyo mi vida. Hoy te pido, Dios, que me ayudes a salir de deudas, a vivir libre de deudas, a vivir solvente sin deber nada a nadie, sin tener cuentas pendientes de ninguna clase. Confío en ti, Señor. Tú me proveerás, tú me darás la fuerza, tú me darás la voluntad, tú me ayudarás a tomar las decisiones para salir de deudas. Dame gracia, Señor, para ir y hablar con mis acreedores y ofrecer pagarles poco a poco. Sí, Dios, con tu ayuda les pagaré. En el nombre de Jesús me comprometo a serte fiel al traer mis diezmos y ofrendas a tu altar y tú me respaldarás. En el nombre de Jesús. Amén".

Capítulo 9

Contentarse con lo presente

Todos los días son preciosos, pero hay unos muy especiales en la vida de cada persona. En cierta ocasión tuve uno de esos días, cuando asistí a un desayuno. Más de 500 personas se congregaron en el salón de uno de los principales hoteles de la ciudad. Aproximadamente 60 personas o más se convirtieron al Señor y hubo una manifestación hermosa del Espíritu de Dios que se movió en el lugar. La pasamos muy bien.

Al salir del desayuno fui a visitar a una familia que vive en el otro extremo de la ciudad. El hermano Menéndez comenzó a compartir testimonio tras testimonio de cómo Dios ha obrado en su vida. El Señor está haciendo cosas extraordinarias en la vida de las personas que oyen la Palabra y que también la ponen en práctica. No es suficiente ser oidores, hay que ser hacedores de la Palabra del Señor.

Les comparto parte del testimonio de este hermano: "Estoy aquí por la misericordia de Dios y deseo decirles lo que él ha hecho en nuestras vidas. Yo soy producto del rescate del Señor. Lo perdimos todo como consecuencia de los malos manejos del presupuesto familiar. A través de los temas que el pastor predicó hace algún tiempo, y que estuvieron enfocados en la organización de la economía, puse en práctica las sugerencias presentadas, lo cual resultó en gran bendición para mí. Comencé a reedificar mi vida. Ya había perdido casa, terrenos, vehículos. Todo. Me quedé en la calle. Debía dos años de renta y mis hijos ya no pudieron seguir asistiendo al colegio. Me encontraba totalmente derrotado. Un día, Dios puso en mi corazón escribir y copiar la visión de Habacuc 2. Leí esa visión varias veces, la escribí y la compartí con el pastor. Estoy gozoso porque el Señor de la noche a la mañana hizo maravillas y obras poderosas. Le doy gracias a Dios porque puedo compartirles cómo fue que hice de nuevo mi vida. La comparto para aquellos que aún creen que no hay esperanza".

¡Dios es fiel! El hermano Menéndez dice que ya no compra a crédito, ahora compra al contado. Ya no adquiere deudas con la tarjeta de crédito, ahora la paga toda cuando llega el estado de cuenta. Cuando estaba hundido en deudas cortó sus tarjetas de crédito, habló con todos los gerentes de esas empresas y se puso al día. Hermano amado, si usted pone en práctica estos consejos, usted prosperará en su vida.

¿Qué significa contentarse con lo presente y concentrarse en lo permanente? El secreto de la felicidad del hombre no está en la abundancia de los bienes que posee. No porque usted tenga muchos bienes será feliz. Tenemos que comprender, atender y contentarnos con lo presente y concentrarnos en lo permanente. La Biblia dice en Proverbios 15:15, 16: *Todos los días del pobre son malos, pero el corazón contento tiene fiesta continua. Es mejor lo poco con el temor del SEÑOR que un gran tesoro donde hay turbación.* ¿Alguna vez ha experimentado la angustia? Es terrible. El corazón se le acelera, las manos le tiemblan, el sueño se le escapa, pierde el apetito, oye cosas raras, ruidos extraños, le parece ver fantasmas en la noche, se siente perseguido. Por eso es bueno contentarse con lo presente y concentrarse en lo permanente. En Lucas 3:14 este médico que amaba al Señor anotó lo que era el mensaje de Juan el Bautista para los judíos de aquella época:

También unos soldados le preguntaban diciendo:
—Y nosotros, ¿qué haremos?
Él les dijo:
—No hagan extorsión ni denuncien falsamente a nadie, y conténtense con sus salarios.

Uno de los más grandes problemas que tenemos los seres humanos es nuestra sed insaciable por tener más. Jesús nos advierte sobre este mal: *Guárdense de toda codicia* (Lucas 12:15). ¡Cuidado! La avaricia es el deseo inmoderado de acumular riquezas. Debemos, entonces, tener sumo cuidado. El mensaje que el apóstol Juan les da a los soldados es: "Confórmense con lo que les pagan. No extorsionen a nadie".

Pablo escribe desde la cárcel, un lugar poco propicio para escribir positivamente, pues generalmente un preso se siente esclavizado, oprimido y angustiado. Sin embargo desde ese lugar el Apóstol escribe esta carta:

> *En gran manera me regocijé en el Señor porque al fin se ha renovado la preocupación de ustedes para conmigo. Siempre pensaban en mí, pero les faltaba la oportunidad. No lo digo porque tenga escasez pues he aprendido a contentarme con lo que tengo. No digo esto porque esté necesitado, pues he aprendido a estar satisfecho en cualquier situación en que me encuentre* (Filipenses 4:10, 11).

¿En qué situación estaba Pablo en ese momento? Preso. Si usted estuviera preso ¿podría decir lo mismo? ¿Podría decir como Pablo: *En gran manera me regocijé en el Señor… pues he aprendido a estar satisfecho en cualquier situación en que me encuentre*? Dice también en el versículo 12: *Sé vivir en la pobreza.* Vivir en la pobreza es cosa seria, pues no hay dinero para la comida.

Un testimonio que escuché y que me tocó muy fuerte el corazón fue: "Hermano, hemos puesto en práctica todo lo que usted ha dicho y hemos sido bendecidos y prosperados". Allí se encontraba una señorita de 22 años y la mamá aprovechó la presencia del pastor para que diera refuerzo a su criterio.

—¿Verdad, pastor, que no tienen porque endeudarse para casarse?

También estaba el novio, algo preocupado por lo que yo iba a decir.

—Por supuesto que no tienen por qué endeudarse para casarse —les dije.

Les conté que cuando me casé no hice fiesta, con tal de conservar el dinero que tenía para mantener a mi esposa Elsy.

Yo he sido joven y he envejecido; pero no he visto a un justo desamparado ni a sus descendientes mendigando pan (Salmos 37:25).

El Señor es fiel, él nos provee, pero Pablo nos recuerda algo vital: *Sé vivir en la pobreza, y sé vivir en la abundancia.*

Hay quienes llegan a la abundancia y se enloquecen, llegan a la abundancia y ya no sirven al Señor, llegan a la abundancia y caen en el pecado del olvido de Dios. Por eso Pablo dice:

Sé vivir en la pobreza, y sé vivir en la abundancia. En todo lugar y en todas las circunstancias he aprendido el secreto de hacer frente tanto a la hartura como al hambre, tanto a la abundancia como a la necesidad (Filipenses 4:12).

Debemos ser enseñados tanto a vivir en la abundancia como en la pobreza. Hay momentos en la vida en los que nos toca vivir en escasez. Entonces tenemos que aprender lo que José enseñó en Egipto, que en la época de las vacas gordas hemos de prepararnos para cuando vengan las vacas flacas y acaben con nuestras ganancias. Tenemos que aprender a estar preparados.

La palabra "contentamiento" viene de la palabra griega *autarquería*, que significa "satisfecho". Si algo necesita el ser humano para ser verdaderamente próspero en la vida es estar siempre contento con lo presente. Si su esposa es una de 20 años conténtese con la de 20, si su esposa es una de 30 conténtese con la de 30, si su esposa es una de 50 conténtese con la de 50, si ya es de 70 conténtese con la de 70. Si tiene más años, seguramente usted ya tiene 100. Pero lo esencial es que debemos estar contentos con lo presente.

Dios nos permite gozar de la vida si nosotros tenemos la

actitud correcta. El contentamiento nunca proviene de la posesión de objetos externos, proviene de una actitud interna hacia la vida. Yo quiero que usted grabe esta verdad en su corazón: el contentamiento nunca proviene de objetos externos.

Le advierto que ese reloj que usted quiere comprar simplemente porque es de oro sólido, aunque se lo ponga y lo luzca, no le va a proporcionar contentamiento. Tampoco ese automóvil de último modelo que le habla cuando usted se acerca. Lo puede comprar, como también se puede comprar una casa lujosa en una zona exclusiva, pero no le van a proporcionar el contentamiento que usted aparentemente busca al obtenerlos. Y así puedo seguir enumerando los objetos que quiera, pero ninguno de ellos le va a proporcionar ese contentamiento que usted busca.

Cuando equivocadamente pensamos que por tener más cosas seremos más felices, nos llevamos la más grande frustración de la vida; porque llega un momento en que ya tenemos todo lo que deseamos y entonces nos damos cuenta de que eso no ha sumado felicidad a nuestra vida. Quizá nos ha dado alguna comodidad, quizá nos ha dado una posición, quizá nos ha dado alguna ayuda; pero no nos da felicidad.

El contentamiento proviene de una actitud interna hacia la vida ¿Cuál es la actitud correcta que debemos tener hacia la vida? ¿Deberá ser orientada y vista a través de dólares, euros, quetzales, pesos y cosas materiales? Debemos contentarnos con lo presente y concentrarnos en lo permanente. Dios nos quiere bendecir, y quiere hacerlo de una forma maravillosa. Pero la mejor bendición siempre será la que llevamos en nuestro interior, y tiene que ver con asuntos más trascendentales que meramente temporales.

En la tercera parte de *Enrique VI*, Shakespeare describe al rey caminando por lugares campestres desconocidos. Se encuentra con dos guardabosques y les dice que es un rey.

"¿Dónde está su corona?", le preguntan. El rey contesta que su corona está en el corazón, que es invisible, que rara vez la gozan los reyes, y que se llama "Contentamiento". Cuando usted es una persona verdaderamente feliz y en el interior de su corazón usted está satisfecho; créame, puede andar en cualquier parte del mundo, puede andar entre gente de clase baja, media baja, clase media, media alta, clase alta, súper alta —donde usted quiera estar— pero siempre será un rey con corona, porque lleva en su corazón la actitud correcta hacia la vida. Usted es una persona contenta consigo misma y eso le hará feliz siempre; no por lo que tiene, sino por lo que usted es.

Epicuro, un filósofo griego, dijo de sí mismo: "Aquel para quien no es suficiente lo poco, nada le es suficiente". Y cuando le preguntaron el secreto de la felicidad, respondió: "No agreguen a las posesiones del hombre, disminuyan sus deseos".

¡Ah, que parecido era lo que pensaba este filósofo griego en relación con Jesucristo! Jesucristo decía: *Guárdese de toda codicia,* que es el deseo inmoderado de acumular riquezas. Muchas veces la gente es infeliz porque está deseando tener hoy lo que quizá va a tener dentro de cinco años. Y cuando cinco años más tarde tiene lo que no tenía antes, no es feliz porque está deseando lo que va a tener dentro de diez años. Debemos aprender a estar contentos con lo presente.

Un indio estadounidense se quejaba de no tener zapatos hasta que vio a otro que no tenía pies. Aquí es cuando adquiere alta dimensión el hecho de estar contentos con lo presente; más adelante el Señor lo bendecirá.

Los rabinos decían: "¿Quién es rico? Aquel que se contenta con su suerte". Las cosas no tienen el poder de brindar felicidad. Yo le aseguro que cualquier señora, por muy linda que sea su refrigeradora, si llega a casa y la abraza y le da un beso, no logrará nada. En contraste, otra señora puede tener una refrigeradora vieja y un marido feo, si usted quiere, pero se lleva bien con él. Cuando ella quiere un abrazo, el marido le da el abrazo, y cuando quiere un beso, el marido le da el beso, y cualquier cosa que quiera, sea la que sea, el marido se la da. ¿Cuál de las dos mujeres es más feliz?

No son las cosas las que nos dan felicidad. Las cosas no tienen el poder de brindar felicidad. Todas las cosas del mundo no pueden hacer feliz al hombre si él no conoce la amistad ni el amor. ¿Conoce usted la amistad y el amor? Es lindo, ¿no es cierto? En el desayuno al que me referí al principio del capítulo, les decía a los presentes que todos tenemos la necesidad de ser amados, pero también tenemos que aprender a amar. ¿Cuánto pagaría la gente por ser amada? Hay quienes por falta de amor se dedican a amar a sus mascotas. Las tratan como si fueran sus hijos. Cuidan a su perro, a su gato, a su canario, a su loro mejor de lo que cuidan a su mamá. ¡Viven enamorados de sus mascotas! Lloran más por la muerte de un loro que por la muerte de un esposo. ¿Se da cuenta porqué es tan importante conocer la amistad y el amor? Nunca será feliz quien no los conozca.

Todas las cosas del mundo jamás borrarán la soledad. ¿Quiere un ejemplo? En la Biblia leemos como Adán fue el dueño de todas las cosas del mundo; gobernaba el jardín del Edén, tenía autoridad sobre todo. Sin embargo, Dios dijo: "No es bueno que el hombre esté solo".

Elvis Presley supo lo que es alcanzar la fama y la fortuna. Fue el hijo de un hombre y una mujer pobres, por eso supo lo que es vestirse con la ropa que le regalaban. Vivía en un pueblecito que en esa época era de lo más remoto, en el estado de Mississippi. Luego la familia se mudó a Memphis, Tennessee, y nuestro artista, que en esa época no lo era, empezó a ganarse la vida trabajando como chofer de camión. Ganaba 30 dólares a la semana.

Un día Elvis fue a grabar a la productora de Sam Phillips una canción para su mamá que cumplía años. Alguien lo oyó, le habló al dueño y le dijo: "Ahí está el que usted busca. Un blanco que canta como negro".

Sí, él había aprendido a cantar con los negros de Mississippi y con los negros de Tennessee. Allí fue catapultado a la fama. Todavía hoy sigue siendo reconocido como el rey del rock. Las mujeres todavía suspiran por él. Elvis llegó a ser multimillonario, compró una mansión en Memphis, que después fue convertida en un museo donde se colocó todo lo que él poseía. Elvis tenía de todo lo que usted se pueda imaginar: canchas de tenis, gimnasio, piscina, toda clase de aparatos, automóviles de todos los colores y estilos, pero el hombre no era feliz.

La esposa, Priscilla, una jovencita que se casó con él siendo ella de 22 años de edad, finalmente lo dejó porque "le quemó el rancho" (le fue infiel) con su entrenador de karate. Esta señora se quedó con el entrenador porque Elvis andaba adquiriendo más fama y más dinero; produciendo, manteniéndose en el más alto nivel de la popularidad. Así que, se murió la madre de Elvis, se fue la esposa, se fue la hija, y él, finalmente, se quedó solo. Cantó una canción que se llama *Heartbreak Hotel* (Hotel Rompecorazones). Una frase de la canción dice así: "Estoy solo, solo, tan solo que quisiera morir". Y se cumplió su deseo. Murió a los cuarenta y dos años. Así se cumplió lo que dice el proverbio español: "La mortaja no tiene bolsillos". ¿Por qué? Porque el muerto no se lleva nada.

Adán lo tenía todo, pero estaba solo. Por eso Dios dijo: *no es bueno que el hombre esté solo. Le haré una ayuda idónea.* Gracias a Dios que hizo a estas criaturas tan idóneas que se llaman mujeres. Todas las cosas del mundo jamás cubrirán la soledad. La felicidad siempre proviene de las buenas relaciones personales. La felicidad no radica en las cosas, sino en la gente; por eso debemos aprender a concentrarnos en las cosas permanentes. Séneca dijo: *"No puedes llevarte del mundo más de lo que has traído a él, construye un carácter, un alma".* Job dijo: *desnudo salí del vientre de mi madre, y desnudo volveré allá.* Usted será feliz cuando esté en paz con su cónyuge, con sus hijos, con sus amigos, con su socio. Las cosas más felices de la vida no cuestan mucho, ¿no es cierto? Los ratos más agradables que pasamos en la vida no cuestan dinero. Depende de que nosotros le demos el valor real a lo permanente. Los autos envejecen, la ropa se desgasta, las joyas aburren y luego estorban. Lo que sí es importante es que nosotros nos concentremos en lo permanente y tengamos buenas relaciones personales. Pensemos en regalarle una flor a la persona amada; cualquier día es bueno para regalar una flor, cualquier día es bueno para dar un beso.

¿Cuánto daría un padre por recibir el beso tierno y cariñoso de una hija? Pero no lo recibe porque él se peleó con ella, la abandonó, la dejó y no le dio tiempo ni importancia ni amor. ¿Cuánto pagaría una mujer por tener el cariño de su esposo? Si usted tiene a alguien a quien ama, cultive esa relación y recuerde: Solamente vamos a ser felices si nos contentamos con lo presente y nos concentramos en lo permanente.

La relación más importante de todas es la relación con Dios, nuestro Señor. Si no estamos en paz con Dios, nunca disfrutaremos de su paz. La paz de Dios es privilegio de aquellos que se han puesto en paz con él.

Oración

Si usted necesita ponerse en paz con el Señor hoy es el momento en que usted debe decirle:

> "Señor, perdóname porque he puesto mis ojos en las cosas temporales de la tierra, pero con tu ayuda quiero poner mis ojos en las cosas permanentes, las del cielo. Señor, quiero ser un cristiano con una actitud eterna correcta. Tu palabra dice que toda la ley se cumple en este mandato: *Amarás a tu Dios con todo tu corazón, con toda tu alma y con todas tus fuerzas, y a tu prójimo como a ti mismo.* Guíanos a amar a la gente antes que a las cosas, a amar a las personas antes que los bienes que tenemos; amar a nuestros hijos, a nuestros hermanos, a nuestros padres, a nuestros amigos, antes de amar las joyas, los autos, las casas y las cuentas bancarias. ¡Señor, ayúdanos a concentrarnos en lo permanente! y que no por tener más cosas arruinemos las buenas relaciones que ya tenemos. Ayúdanos a no privarnos del bien que encontramos en la

amistad, el amor, la fraternidad cristiana entre tus hijos. ¡Ayúdanos, Señor! Bendice a cada persona, a cada hogar, a cada niño, a cada anciano. Permite que cada uno podamos disfrutar de las cosas lindas que tú nos das. Gracias, Dios, porque tú nos has prometido suplir todas nuestras necesidades conforme a tus riquezas en gloria en Cristo Jesús.

Capítulo 10

Concentrarse en lo permanente

A estas alturas considero que ya salieron a la luz algunos resultados como consecuencia de la lectura de estos temas que demandan una actitud de disposición para luchar y que permita la liberación de toda cadena de deuda, adoptando una firme decisión de mantenernos solventes en la vida. Pero hay que pasar del dicho al hecho y poner en práctica los principios bíblicos que nos muestran el camino hacia la prosperidad.

Dios quiere prosperarnos pero debemos entender que la voluntad de Dios es que prosperemos en todas las cosas. *Que seas prosperado en todas las cosas y que tengas salud, así como prospera tu alma* (3 Juan 2). Si nosotros prosperamos únicamente a nivel material y adquirimos más bienes y más lujos, no estaremos prosperando completamente; tenemos que tener una prosperidad integral, una prosperidad que abarque el espíritu, el alma y el cuerpo, a fin de poder ser ricos en amor, ricos en fraternidad y ricos en amistad. Jesucristo dijo: *En esto conocerán todos que son mis discípulos: si tienen amor los unos por los otros* (Juan 13:35). No dijo que el que tiene muchos caballos, muchas ovejas o el que lo tiene todo se va a dar a conocer como el hijo de Dios. No. La característica que Jesús dio es una característica de valor eterno: el amor.

Hoy nos impresionan las cosas que vemos y tocamos, como el cielo que brilla, un cojo que salta, un mudo que habla. Sin embargo, la Biblia dice que todos los dones y todas las manifestaciones del Espíritu Santo se terminarán. Una vez que llegue al cielo ya no necesitará ninguno de los dones. No necesitará fe para creer, porque ya estará viviendo la verdadera realidad. No necesitará un milagro de sanidad, porque ya estará en un cuerpo incorruptible ante la presencia de Dios. No necesitará ciencia para conocer, porque ya estará frente a Dios que es toda ciencia. Pablo dice: *Y ahora permanecen la fe, la esperanza y el amor, estos tres; pero el mayor de ellos es el amor* (1 Corintios 13:13). Es muy importante que nosotros recordemos que debemos amarnos los unos a los otros. Toda la ley de Dios se encierra en este mandamiento: *Amarás al Señor tu Dios con todo tu corazón, con toda tu alma, con toda tu mente y con todas tus fuerzas... Amarás a tu prójimo como a ti mismo"* (Marcos 12:30, 31). Amar como el Señor nos ha amado.

En Hebreos 13:5 dice: *Sean sus costumbres sin amor al dinero, contentos con lo que tienen ahora porque él mismo ha dicho: "Nunca te abandonaré ni jamás te desampararé"*. Nuestra fe debe estar siempre puesta en Dios, porque él es el único que nunca nos dejará, que jamás nos abandonará. Cualquier otra persona y cualquier otra cosa van a pasar de nuestra vida. Por eso, cuando hablamos de prosperidad basándonos en principios bíblicos, tenemos que pensar más que en cosas, más que en bienes materiales. Debemos pensar en relaciones personales; siendo la principal nuestra relación con Dios, y luego, la relación con la familia, con los amigos, los compañeros de trabajo, de estudios, de deportes.

Al gran multimillonario Howard Hughes, cuando su fortuna alcanzaba 2.3 millardos o 2.3 billones de dólares, le preguntaron: "¿Es usted feliz...?". Él respondió: "No". El ser millonario no le consiguió a él la felicidad. Hace unos años vi un reportaje de su vida y cómo terminó encerrado como un ermitaño: con el cabello descuidado, las uñas largas, sucio, en una habitación donde nadie entraba porque él no quería tener contacto con nadie. ¿De qué le sirvieron los millones que amasó en fortuna? ¿Para terminar solo, triste, miserable? Cuando pensemos en las riquezas, pensemos no solamente en llegar a la cumbre, como diría Zig Ziglar, sino como escribió 20 años después, "llegar más allá de la cumbre". Para él esta expresión tiene que ver con el enriquecimiento de la persona; su carácter, un carácter íntegro y honesto. Dice en su libro *Más allá de la cumbre*, "Ahora veo que perdí oportunidades de estar con mis hijos, con mi esposa; de mejorar mis relaciones familiares, por estar en búsqueda del éxito y de la cumbre".

Nosotros necesitamos equilibrar la vida y no pensar solamente en el éxito basado en euros, yenes, dólares, quetzales o pesos, sino basados en la riqueza de tener buenas relaciones personales. Al gran multimillonario Paul Geary le preguntaron si era feliz con lo que tenía. Dijo que daría todo por tener un matrimonio feliz. Es posible que usted no tenga millones, pero si tiene a su familia y es feliz, conténtese con lo presente. Ahora, si usted no es feliz con su familia ni tiene millones ¡qué tristeza!

Aquel que ha logrado prosperar en el aspecto económico sin descuidar el enriquecimiento moral, espiritual y familiar, esa persona verdaderamente alcanza el éxito y se da cuenta de lo importante que es contentarse con lo presente, concentrarse en lo permanente. Debemos darle gracias a Dios por lo que somos hoy, por lo que tenemos hoy. Por eso dice la Escritura que debemos estar contentos con lo presente. Rockefeller, a la pregunta de cuántos millones son suficientes para saciar a un hombre, respondió: "Uno más".

El deseo de dinero tiende a ser una sed insaciable. Siempre se desea un poco más. El que tiene diez quiere veinte, el que tiene veinte quiere cuarenta y el que tiene cuarenta quiere cien. El deseo de riqueza se fundamenta en la ilusión del deseo de seguridad y más comodidad o lujos. Recuerde que dije *ilusión* de seguridad.

El deseo de dinero tiende a hacernos egoístas en lugar de enseñarnos el altruismo y a compartir la verdadera vida. El contentamiento llega cuando escapamos de la servidumbre de las cosas; cuando encontramos la riqueza en el amor, la amistad y la fraternidad con los demás. Las cosas son para que nos sirvan, no para que nosotros sirvamos a las cosas.

Hace unos años fui con un grupo de miembros de la congregación a un día de campo en una linda granja, donde disfrutamos de hermosos paisajes. El dueño tenía una hermosa casa y me dijo:

—Pastor, yo quisiera mostrarle el segundo nivel de mi casa. El piso es de madera. ¡Viera qué precioso quedó! ¿Quiere verlo? —me preguntó.

—Claro que sí —le contesté—, vayamos.

Cuando llegamos al pie de la escalera para subir al segundo nivel, me dijo:

—Pastor, tiene que quitarse los zapatos.

Pensé que estaba bromeando, pero hablaba en serio. Todos tuvimos que descalzarnos antes de subir. La verdad es que el piso era lindo, pero no dejaba que nadie subiera con zapatos. ¡Qué bueno que yo no llevaba calcetines con hoyos! ¿De qué sirve que usted tenga una casa linda, con piso de madera fina, si no deja que nadie camine con libertad sobre él? Esto ilustra bien la servidumbre de las cosas.

Se cuenta la anécdota dc una pcrsona quc amaba tanto a su automóvil que cuando sus niños se subían al coche, los metía en una bolsa plástica de basura. ¡Los niños iban envueltos en esas bolsas para que no le ensuciaran su coche! ¡Ay de aquel que mastique chicle dentro del coche! La servidumbre de las cosas. Hay que tener cuidado, porque el amor lo ponemos en las cosas, en lugar de ponerlo en las personas. Y eso es peligroso.

Hace algunos años se comentaba del caso de un hombre que llevaba a su hija en su Mercedes Benz. La dejó sola un rato mientras él realizaba algunas diligencias. Cuando regresó, la niña le había rayado la tapicería. Se enojó de tal manera porque le había dañado su vehículo, que tomó sus manitas y le pegó muy fuerte. Como él llevaba un anillo grueso en los dedos, le causó daños irreparables a las manos de la niña. Fue trasladada al hospital donde hubo necesidad de amputárselas. El hombre se dio cuenta, cuando vio a su pequeña sin manos, que cualquier Mercedes Benz no se compara con las manos de una hija. Supo que había tergiversado las prioridades de la vida. Se había enamorado de su auto más que de su hija. Cuando llegó hacia ella para decirle:

—Hijita, perdóname por lo que te hice. Perdóname hija, no debí haber hecho eso.

—Papi, yo te quiero, yo te perdono —le dijo la niña—, pero devuélveme mis manos.

Y ante esa imposibilidad, este hombre se fue y se quitó la vida dándose un balazo.

¿De qué sirve alcanzar tantos bienes, tanto status, tanta posición, si usted no aprecia a una hija, a un cónyuge, a un amigo o a un hermano más que cualquier cosa? Nosotros tenemos que hacer uso de las cosas para beneficio nuestro. No existimos para ser esclavos de las cosas.

Hubo un hombre que nació en Tarso y se presentó como Saulo de Tarso. Lo hacía de esa manera porque eso indicaba su alcurnia, su intelectualidad. En esa época solamente había tres universidades en el mundo: la de Alejandría, la de Atenas y la de Tarso. Saulo se educó a los pies de Gamaliel, en Tarso. El hombre no solo fue fariseo, un hombre de derecho, un abogado, sino un maestro de fariseos. Fariseo de fariseos. Era uno de los grandes prototipos de inteligencia en Israel y venía de una familia muy acomodada. Pablo llegó a conocer a Jesucristo y empezó a enseñar los principios que deben gobernar la vida de un discípulo. Por eso escribe en una carta:

> *Es cierto que con la verdadera religión se obtienen grandes ganancias, pero solo si uno está satisfecho con lo que tiene.*
> (1 Timoteo 6:6 NVI).

¿Está usted satisfecho con lo que tiene? Mire a su alrededor y fíjese en lo que tiene. ¿Está satisfecho y contento con eso? Es importante estar contento con lo que se tiene. Algunos me han dicho: "Pastor, no tengo todo lo que quiero, pero quiero todo lo que tengo".

Es muy importante que si Dios le ha dado una vivienda, la disfrute y la cuide. Y, si le da otra, haga lo mismo, pero esté contento y satisfecho con lo que tiene hoy. 1 Timoteo 6:7 dice: *Porque nada trajimos a este mundo, y es evidente que nada podremos sacar.*

Todos los que tenemos hijos nos hemos dado cuenta de que cuando nacen ninguno llega con un reloj en la muñeca, ninguno lleva un anillo en el dedo; ningún niño nace con las escrituras de propiedad de una casa en la mano.

Nada trajimos a este mundo y nada vamos a sacar de él. Cuando usted muera no se va a llevar nada. Esos lindos aretes de brillantes que el marido le compró a la esposa y que lo obligó a trabajar extra por un año, no se los podrá llevar cuando ella muera. Por razones sentimentales se los quitarán porque querrán un recuerdo de ella. Unos le quitarán las cadenas de oro, otros los anillos, otros el reloj, y usted se va a ir tal y como vino al mundo. Nada trajimos a este mundo y nada vamos a sacar de él.

Los versículos 8 y 9 dicen: *Así que, teniendo el sustento y con qué cubrirnos, estaremos contentos con esto. Porque los que desean enriquecerse caen en tentación y trampa, y en muchas pasiones insensatas y dañinas que hunden a los hombres en ruina y perdición.* La razón por la que existan familias y naciones hundidas en estos tiempos es porque han caído en la destrucción de su propia codicia, de sus propios deseos, de su avaricia. Han caído en grandes hundimientos económicos, préstamos con intereses leoninos que nunca han pagado y luego, como si nada, piden más préstamos.

El versículo 10 dice: *Porque el amor al dinero es raíz de todos los males; el cual codiciando algunos, fueron descarriados de la fe y se traspasaron a sí mismos con muchos dolores.* El dinero no es malo y tener riquezas no es pecado. La verdad es que el dinero ni es bueno ni es malo, sino que depende de lo que nosotros hagamos con él. Debe servirnos y no nosotros servir al dinero. Y es que generalmente, casi siempre, ponemos nuestro amor en el dinero y se lo quitamos a nuestra familia, porque dejamos de amar a Dios y comenzamos a amar al dinero. Ahí está el mal; ahí está el problema, porque nos enamoramos de algo que es volátil, algo inestable. *Porque el amor al dinero es raíz de todos los males; el cual codiciando algunos, fueron descarriados de la fe y se traspasaron a sí mismos con muchos dolores.*

Pero tú, oh hombre de Dios, huye de estas cosas —no que huya de todo eso, sino que huya del *amor* al dinero— *y sigue la justicia, la piedad, la fe, el amor, la perseverancia, la mansedumbre.*

¿Qué es la justicia? Es dar a Dios y al hombre lo que le corresponde a cada uno. Es dar a Dios nuestros diezmos, tal y como corresponde, como una expresión mínima de gratitud y como una referencia básica del dar. Es también dar a los hombres lo que corresponde. Si es impuesto, impuesto; si es sueldo, sueldo; si son prestaciones, prestaciones; pero debemos dar con justicia. Buscar la justicia, la piedad, la fe, el amor, la perseverancia y la mansedumbre.

En Guatemala hay un dicho muy popular: "Dios sabe porqué tiene a los sapos bajo las piedras". Hay quienes apenas alcanzan un poquito de éxito y se hinchan. Recuerde que cuando la cabeza se hincha, la corona se encoge. La gente empieza a creerse la divina garza porque ya tiene un poquito más de lo que tenía.

1 Timoteo 6:12-16 dice:

Pelea la buena batalla de la fe; echa mano de la vida eterna a la cual fuiste llamado y confesaste la buena confesión delante de muchos testigos. Te mando delante de Dios, quien da vida a todas las cosas, y de Cristo Jesús, quien dio testimonio de la buena confesión delante de Poncio Pilato, que guardes el mandamiento sin mancha ni reproche hasta la aparición de nuestro Señor Jesucristo. A su debido tiempo la mostrará el Bienaventurado y solo Poderoso, el Rey de reyes y Señor de señores, el único que tiene inmortalidad, que habita en luz inaccesible, a quien ninguno de los hombres ha visto ni puede ver. A él sea la honra y el dominio eterno. Amén.

"¿Quién de aquí es pobre?", le pregunté a la congregación. Todos levantaron la mano. Les dije: "No creo, porque ya dejaron de ser pobres desde hace rato. Ya tienen su casa propia, tienen otras en alquiler, tienen su automóvil, tienen sus cuentas bancarias con mucho dinero, etc. Ya dejaron de ser pobres. Para ustedes es este mensaje: *A los ricos de la edad presente manda que no sean altivos ni pongan su esperanza en la incertidumbre de las riquezas sino en Dios quien nos provee todas las cosas en abundancia para que las disfrutemos.* Tenemos que tomar en cuenta el consejo de Pablo: las riquezas son muy inseguras. ¿Ha visto alguna vez a alguien perder una propiedad? ¿A cuántos le han robado el auto alguna vez? ¿Cuántos han perdido dinero en algún banco o en alguna financiera? ¿A cuántos les habrá hecho alguna maniobra sucia algún socio?

Las riquezas son inseguras, pero usted piensa que por tener

mucho más va a estar más seguro. Cuando usted piensa que está seguro, aquello que es su muralla china no detiene la entrada de la pobreza o del desastre.

Permítame recordarle un hecho real que ocurrió hace algunos años. En 1976, a las 3 de la mañana, un terremoto de 7.5 grados en la escala de Richter azotó a Guatemala. ¿Qué pasó? Veinticinco mil personas murieron, cien mil se quedaron sin casa. Se cayeron hoteles y edificios. Y de pronto, alguien que tenía, ya no tuvo. Si lo quiere poner más cerca en tiempo y espacio, recuerde los acontecimientos, producto de la crisis financiera del año 2005 en Estados Unidos de América, México, Guatemala, El Salvador, Honduras y Nicaragua.

Otra fecha que se destaca es el 11 de septiembre de 2001. Dos aviones se estrellaron contra las torres gemelas. ¿Dónde están las torres gemelas ahora? No existen. Las riquezas son inseguras. Si usted cree que por tener varios vehículos, casas y mucho dinero va a estar seguro por el resto de la vida, está equivocado. Usted dirá: "Si yo fuera el presidente del Banco de Guatemala, estaría protegido por toda la seguridad que me ofrece el cargo". Un presidente del Banco de Guatemala puede ser secuestrado. Indira Ghandi estaba bien protegida por toda la seguridad que tenía en el palacio y esa mujer, primer ministro de la India, murió. ¿Quién la mato? Su propia seguridad, su propio guardaespaldas. En 1957 el presidente de Guatemala murió en el pasillo de la residencia presidencial. ¿Quiénes lo mataron? Sus propios subalternos.

La seguridad no es seguridad cuando usted la mide por cosas materiales, murallas chinas, palacios de granito u hombres fuertes. La verdadera seguridad es la única que nos puede dar Dios nuestro Señor. ¡Esa es la única verdadera seguridad!

No se sienta muy seguro porque usted tiene mucho dinero. No confíe en eso. Pero si usted tiene dinero y ha puesto su confianza en Dios, entonces podrá dormir seguro. ¿Sabe qué es lo triste? Que algunas personas se afanan toda la vida por alcanzar un estatus económico. Y cuando ya lo tienen, entonces es cuando más infelices son, cuando más preocupados viven, cuando más inseguros se encuentran. Apenados, preocupados porque alguien los va a robar, alguien los va a asaltar, alguien los va a secuestrar. Entonces no valió tanta lucha y tanto afán por llegar a tener más. No olvidemos que la seguridad viene de Dios y por eso dice Pablo a los ricos de este mundo: *No sean altivos ni pongan su esperanza en la incertidumbre de las riquezas sino en Dios quien nos provee todas las cosas en abundancia para que las disfrutemos.* ¿Para qué nos provee Dios en abundancia? ¿Quién es nuestro proveedor?

En mi tarea pastoral he oído, no pocas veces, la queja de miembros de la congregación o personas que me encuentran y me dicen:

—Pastor, me quedé sin trabajo.

—¿Y qué? ¿Quién le dio ese trabajo? ¿Quién le va a dar otro? —les pregunto y luego les contesto.

—Entonces, ¿cuál es su pena? ¿Cuál es su preocupación? No se aflija, el que nos provee es Dios. Dios usa distintas maneras para proveer lo que necesitamos.

Es de primordial importancia poner nuestra fe en Dios, el proveedor. Él nos provee para que lo disfrutemos. Si usted no disfruta lo que tiene, está metido en la más grande amargura de esta vida. Si Dios le permite comprar a usted un auto lindo, ¿para qué se lo proveyó? ¡Para que lo disfrute! Úselo, en lugar de construirle un garaje o un cobertizo para tenerlo guardado y solamente destaparlo para enseñarlo a sus amigos. ¿Para qué se vuelve esclavo de su vehículo? ¡Úselo! ¡Disfrútelo!

Lo mismo le sucede cuando compra un juego de muebles para su sala; el de sus sueños. Pero cuando recibe visitas, los sienta en sillas de madera. ¿De qué sirve una sala linda si usted no la puede usar? ¡Disfrútela, siéntese allí!

Usted debe usar las cosas que tiene y debe disfrutarlas. Es una tendencia muy humana tener cosas buenas para guardarlas. Por ejemplo, si usted es dueño de una vajilla de plata, lo más probable es que pase horas puliéndola. Pregunto, ¿cuándo la usa? Para el uso diario o cuando llegan los amigos o los vecinos generalmente usa la de siempre. La vajilla de lujo la tiene solo para lucirla. No quiere que nadie la toque ni la use. Se hizo esclavo de lo que Dios le proveyó para que lo disfrutara. Hay quienes no compran bananos por no botar la cáscara. ¡Qué barbaridad!

Tenemos que aprender a disfrutar la vida. Lo que Dios nos da es para que lo disfrutemos. Por eso usted debe ser rico en amor, en amistad, en fraternidad. ¿De qué le sirve llegar a la vejez siendo rico, pero sin amigos? Mejor aproveche la vida hoy, invierta en sus amigos. Los amigos son como las flores: para que florezcan necesitan ser cultivadas y regadas, necesitan atención y tiempo. Hay que sembrar amor, hay que sembrar dinero en ellos. Ahora que usted tiene plata, con mayor razón invítelos a tomar un café, cenen juntos, desayunen juntos, recréense juntos. Cultive sus amistades. Hay quienes lo guardan todo.

Recuerdo el caso de una señora, abuelita de unos miembros

de la iglesia. Ellos me contaron que la señora era tan cuidadosa de sus cosas que las llaves del cofre, donde tenía sus tesoros, la guardaba siempre en su bolso. Se enfermó la señora, pero en la cama, junto a ella, estaba el bolso. Cuando sintió que iba a morir lo agarró con todas las fuerzas que le quedaban, y no lo soltaba. Cuando murió los familiares se preguntaron:

—¿Ahora qué hacemos?

—Fácil —dijo alguien. Trajo un par de tijeras, cortó la correa del bolso y se lo llevaron.

La Escritura dice que debemos disfrutar las cosas. En 1 Timoteo 6:18 encontramos el siguiente consejo: *Que hagan el bien, que sean ricos en buenas obras, que sean generosos y dispuestos a compartir, atesorando para sí buen fundamento para el porvenir para que echen mano de la vida verdadera.* La mejor manera de asegurar un caudal para el futuro es ser generoso, ser hombre o mujer de buenas obras y compartir lo que tenemos.

¿Cree que la unción del Espíritu Santo hace maravillas? Yo también creo eso. ¡La unción del Espíritu Santo hace maravillas! Una de las grandes maravillas que hace la unción del Espíritu Santo es que desciende por la cabeza, baja y pasa por el codo. Una persona ungida es una persona que tiene flojo el codo, que no es tacaña, que no es avara, que disfruta de la abundancia de lo que Dios le da; lo comparte con sus amigos, con su familia, con su iglesia, con su nación, con sus trabajadores —con todos. Vale la pena ser generosos. Dios quiere abundarnos en proveer.

Muchas veces nos concentramos solo en pedir, pero una vez que hayamos recibido lo que pedimos es importante que seamos agradecidos y dadivosos.

Oremos a nuestro Dios diciéndole: "Quiero agradecerte". Recuerde que la riqueza no es un pecado, es una responsabilidad, y tiene que ser usada para ayudar y reconfortar a otros. Por algo dice la Escritura: *Es más bienaventurado dar que recibir.* Pero si ya hemos recibido, debemos también estar agradecidos. Dele gracias a Dios. Usted tiene por qué darle gracias. Dígale que está agradecido por la vida que tiene, por la salud, por el trabajo, por la familia, por los dones espirituales que le ha dado, por la linda iglesia que le ha dado. ¡Dé gracias al Señor!

1. Texto VERSIÓN MUNDO HISPANO
    - Basada en la versión Reina-Valera
    - "Lenguaje latinoamericano"
    - Sistema de medidas contemporáneo
    - Uso de los mejores manuscritos hebreos y griegos
2. Dos mil setecientas páginas a todo color
3. Notas e introducciones para cada libro realizadas por más de 50 eruditos de habla hispana y escritas originalmente en castellano
4. Bosquejos explicados para cada libro de la Biblia
5. Más de **4.000** notas explicativas del texto bíblico:
    - Trasfondo histórico • Interpretación • Arqueología
    - Problemas textuales y de traducción
6. Más de **600** notas para la vida de la iglesia:
    - Éticas • Apologéticas • Misionológicas
7. Más de **300** artículos explicativos
8. **Doce** artículos de fondo
9. Cerca de 100 mapas a todo color, insertados en el texto bíblico
10. Más de **300** ilustraciones, cuadros y fotos a todo color
11. Más de **300.000** referencias cruzadas
12. Acceso a ayudas electrónicas:
    - Texto bíblico
    - Presentaciones en PowerPoint con todas las ilustraciones y los mapas
    - Concordancia electrónica
    - Léxicos hebreo y griego

EL DINERO HABLA PERO ¿QUÉ DICE?

978-0-311-46341-1
160 pp. 5.5" x 8.25"

Un libro práctico que pone en perspectiva nuestra espiritualidad y nuestro deseo de servir a Dios por medio de cómo gastamos nuestro dinero. Presenta ejemplos de la Biblia que muestran el principio de dar y enseña lo que debe motivarnos a diezmar: el amor a Cristo y no un sentido de obligación.

O. S. Hawkins es el Presidente de *GuideStone Financial Services* de la Convención Bautista del Sur. Anteriormente sirvió como pastor principal de la Primera Iglesia Bautista en Dallas, Texas.

WWW.EDITORIALMUNDOHISPANO.ORG

MANUAL PARA EL ESTUDIO BÍBLICO PERSONAL

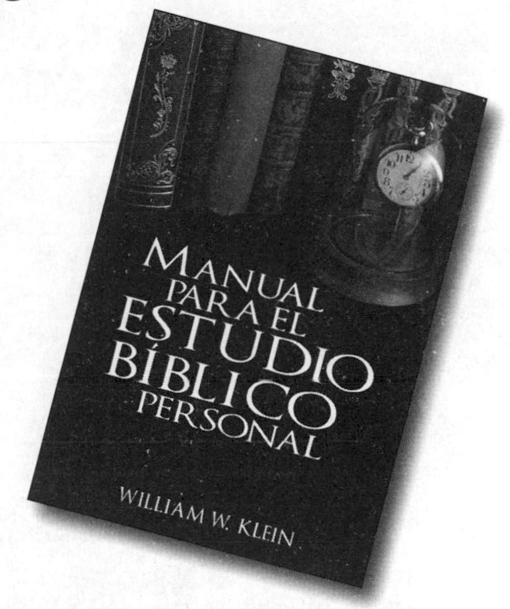

978-0-311-04380-4
Tapa dura
416 pp. 5.5" x 8.25"

Este es un libro que une todos los temas relevantes de la Biblia y ofrece heramientas de cómo estudiarla. Algunos de los temas que trata el libro son:

- Cómo nos llegó la Biblia: su naturaleza, revelación e inspiración, autoridad, unidad y el canon.
- Preparación para estudiar la Biblia: su historia y el mundo.
- El mundo del Antiguo y del Nuevo Testamento.
- Breve historia de la interpretación bíblica.

El doctor William W. Klein ha servido muchos años como pastor y actualmente es profesor de Nuevo Testamento y decano de la división de estudios bíblicos del Seminario Denver.

WWW.EDITORIALMUNDOHISPANO.ORG